LONDRES

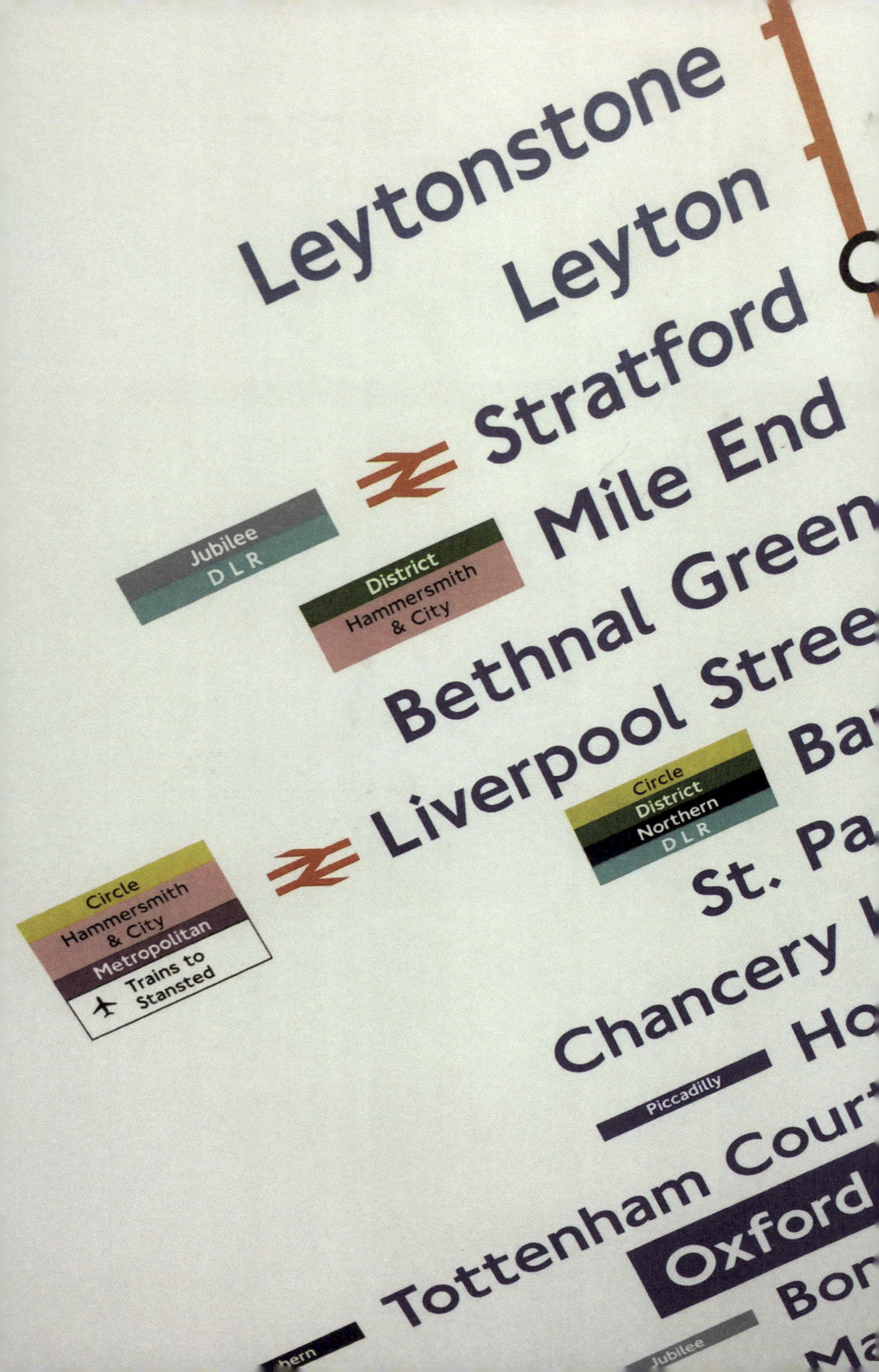
Leytonstone
Leyton
Stratford
Jubilee
DLR
Mile End
District
Hammersmith & City
Bethnal Green
Liverpool Stree
Circle
Hammersmith & City
Metropolitan
Trains to Stansted
Circle
District
Northern
DLR
St. Pa
Chancery
Piccadilly
Tottenham Court
Oxford
Jubilee

RODRIGO RODRIGUES

MIND THE GAP

LONDON LONDON

O único guia para conhecer Londres utilizando o metrô

We're Changing
GARDEN
NO
EXIT

SUMÁRIO

ÍNDICE TEMÁTICO

RESTAURANTES

COMPRAS

PUBS

CINEMAS

CASAS DE SHOW E TEATROS

PARQUES

☺ PROGRAMAS PARA LEVAR A GAROTADA.

UNDERGROUND

APRESENTAÇÃO

Paulo Ricardo Medeiros

I'm wandering 'round and 'round, nowhere to go. I'm lonely in London, London is lovely so...

FIZ MEUS ESSES VERSOS DE CAETANO EM MEU EXÍLIO voluntário em 1983. Vivi na pele a frieza, a tristeza, a solidão, a grama verde e os olhos azuis da canção. Filho da revolução, entre Diretas Já, a crítica musical e a efervescência do novo rock brasileiro, buscava meu DNA, minha lenda pessoal, meu passado, presente e futuro. Depois de três anos cursando Jornalismo na Escola de Comunicações e Artes na USP, várias colaborações em revistas especializadas e duas bandas fracassadas, fui para Londres na esperança de me encontrar, de encaixar as peças soltas do quebra-cabeça, a régua e o compasso que a Bahia deu a Gil. Num mundo pré-globalização, pré-internet e em plena Guerra das Malvinas, não era brasileiro, não era estrangeiro. Minha vida era uma folha de papel em branco e eu não sabia nem mesmo em que língua iria começar.

De posse das revistas, uma carta da USP e outra das gravadoras, consegui sem problemas o meu *press card* na *National Union of Journalists*. Estava prestes a começar uma jornada que eu não tinha a menor ideia de como poderia terminar. Mas, como diz o Tao, o importante é o caminho, não o destino. E Londres era meu caminho e meu destino, o epicentro da cultura pop no mundo, meu mestrado, meu rito de passagem. Londres me forjou, me moldou, me ensinou e me transformou. Bebia cada gota daquela garoa, cada *pint of lager* em cada *pub*, cada show em cada biboca, de Ian Gillan no *Marquee Club* a Charlie Watts no *100 Club* em Oxford. De David Bowie em sua *Serious Moonlight Tour* em *Wembley Arena* a U2 no *Hammersmith Palais*. Entrevistei o Culture Club. Estive na festa em um barco no Tâmisa onde o *Spandau Ballet* comemorava o sucesso de "True".

Desbravei a noite londrina com meu amigo Geraldo D'Arbilly, brasileiro, baterista do Blue Rondo a la Turk. Fui ao *Cavern Club* em Liverpool. Foda. Em Londres, fui pedir um visto para conhecer New York. Negado. Tentei de novo. Consegui. Echo & The Bunnymen no *Peppermint Lounge*. Em Paris, Alceu Valença. O mundo estava a meus pés. Era, naquele momento, londrino desde criancinha.

Mas a hora da verdade, o momento de decisão, o *turning point*, chegara na forma de uma banda que me convidou para assumir os vocais. O que fazer? Tornar-me definitivamente um *englishman*, deixar pra trás aquele caos psicotropical e mergulhar de cabeça no *techno pop new romantic* que explodia ou voltava ao terceiro mundo e executava o projeto (RPM) que vinha desenhando, por correspondência(!), há meses com Luiz Schiavon?

O resto é história. Meu querido Rodrigo agora vai dividir sua Londres com vocês. E a saga continua. "While my eyes go looking for flying saucers in the sky..."

Soundtrack
London, London – RPM

LONDON CALLING

O TERCEIRO DISCO DO *THE CLASH* DIZ TUDO: LONDRES está chamando. Na verdade, Londres sempre me chamou. Desde que, com 8 anos, descobri uma coletânea em vinil dos *Beatles* na coleção dos meus pais. Mas só fui atender ao chamado décadas depois, já devidamente seduzido pela cultura britânica: a música, os filmes, a moda. Incrível como um país consegue unir a tradição da família real ao swing que explodiu nos anos 60 e segue até os dias de hoje.

Adiei a viagem pelos mais variados motivos: durante algumas temporadas trabalhei como guia na Flórida, no complexo Disney. De outras tantas férias simplesmente abri mão por algum projeto em TV. Sem contar as que fiquei escrevendo e revisando os livros anteriores que publiquei. E a agenda da minha estimada banda de trilhas de cinema, *The Soundtrackers*, que não para. São shows, ensaios, gravações de CD e DVD e coisa e tal. Mas um dia resolvi dar um basta. Falei pra mim: nas próximas férias vou pra Londres, tchau. Claro que aproveitei e também dei um pulo em Paris, mas isso é assunto para outra página aqui do guia, mais precisamente a da estação King's Cross St. Pancras.

Underground. The tube. É assim que o inglês chama o metrô. Nada de *subway*, por favor. Isso é coisa de

americano. E o bacana do *tube* é que ele percorre 402 km de Londres através de 270 estações e 11 linhas. Ou seja, dá pra conhecer a cidade quase toda entrando e saindo do centenário trem. Daí a ideia do livro: usar o metrô como local de partida e listar os pontos turísticos próximos às 40 *stations* selecionadas depois de muita pesquisa e algumas cabeçadas. Trocando em miúdos, é o guia que eu gostaria de ter comprado antes de ir pela primeira vez. Dei muitas voltas desnecessárias porque não sabia, por exemplo, que eu poderia ter me programado pra conhecer numa tacada só: T*ower of London*, *Tower Bridge* e ainda fechar o dia fazendo o macabro *Jack the ripper* tour, Ou então que, pra conhecer W*imbledon*, eu não deveria soltar em *Wimbledon*, e sim em **Southfields**. Fora as típicas pegadinhas: Para o estádio do *Chelsea*, desça em **Fulham**. Para o do *Fulham*, desça em **Putney Bridge**. E por aí vai.

É isso, estimado viajante e ativo leitor. Na verdade estou dividindo meu diário de bordo com você, todo ilustrado só com fotos que fiz com o celular. Usei meu olhar de jornalista cultural-esportivo e ex-guia pra fazer esse recorte pop da cidade que, literalmente, chama o turista: vá aos pontos mais tradicionais, assista aos musicais do *West End*, conheça os modernissimos estádios do futebol inglês, faça os caminhos dos *Beatles*, vá às compras na *Harrods*, descubra onde Jack — o estripador atacou suas vítimas e termine o dia saboreando um *fish & chips* em algum restaurante do Jamie Oliver. Tudo de metrô, claro. E já pode ir se acostumando ao aviso que desde 1923 ecoa pelos túneis com aquele inconfundível sotaque britânico: *Miiiiind the gap*.

UNDERGROUND

QUANDO O PRIMEIRO SENSO FOI ENCOMENDADO, EM 1801, quase um milhão de pessoas viviam em Londres. A capital do Reino Unido era a maior, mais rica e populosa cidade do planeta. Tinha o porto mais movimentado do mundo, o trânsito no Tâmisa era intenso. E, na época, existiam apenas três pontes atravessando o rio, o que dificultava o comércio. Em 1815, o primeiro barco levando passageiros foi finalmente introduzido. As ruas eram movimentadíssimas, quase todo mundo andava a pé, um formigueiro humano. Até que alguns meios de transportes puxados por cavalos, copiados de Paris, foram aparecendo: o *cab*, abreviação de *cabriolet*, e o *omnibus,* do latim "para todos".

Não tinha jeito, a revolução no sistema de transportes teria que vir mesmo pelos trilhos: em 1836 era inaugurada a primeira linha de passageiros: *London & Greenwich Railway*. O *boom* das linhas de trem durou quase uma década; a expansão era inevitável e indispensável. E, como o acesso dos subúrbios à metrópole estava garantido pelos trens, cada vez mais gente circulava pelas já lotadas vias, os meios de locomoção não davam mais vazão. O caos estava instalado. Em 1846, pouco mais de 15 anos antes da inauguração do metrô londrino, os especialistas em mobilidade urbana alertavam:

> *If things continue in this way, we shall have to double deck the entire city.*

Da força de expressão, veio a solução: como "dobrar" a cidade não seria possível, o jeito era ir por baixo. Em 1860, o trabalho começou, a *Metropolitan Railway* foi encarregada da missão. Três anos depois, mais precisamente no dia 10 de janeiro de 1863, o trecho que ligava as linhas de trem periféricas ao centro através de túneis, literalmente *underground,* foi inaugurado: *Paddington-Farringdon.* Nascia, assim, o primeiro sistema de metrô do mundo. Cinco anos depois, veio a segunda linha, a *District.* As duas só foram conectadas em 1884, criando a até hoje meio confusa *Circle*

line. O plano original era que as duas companhias concorrentes operassem a novidade em parceria, mas a rivalidade entre os respectivos presidentes, Sir Edward Watkin (*Metropolitan Railway*) e James Staats (*District*), não permitiu. Até que, em 1890, mais uma virada aconteceria: entrava em cena a *City & South London Railway*, primeira a usar eletricidade nos trens.

Foi uma revolução no sistema, apesar de lenta. Não havia verba pública para tal modernização, e os investidores privados ainda não sentiam muita firmeza no retorno financeiro do metrô. Até que Charles Tyson Yerkes, um empreendedor americano que fez fortuna com malha ferroviária em Chicago, entrou na parada. Ele inaugurou a UERL (*Underground Electric Railways Company of London*), em 1902, e a coisa mudou de figura. Conforme o sistema crescia, aumentava também a demanda do povo londrino por um serviço melhor e mais organizado. Mas, como era difícil coordenar a encrenca com tantos interesses e empresas conflitantes, era hora de unificar o serviço.

E isso aconteceu em 1914, quando o *Underground Group* começou a dominar a operação, mas ainda sob a batuta da iniciativa privada. Só em 1933, com a criação da *London Transport*, o transporte público ficou debaixo da asa do governo. Dessa fase vem a caprichada identidade visual: desde a arquitetura das estações, passando pelos inovadores *posters* e até o famoso logotipo "red disc" usado até hoje. O responsável por tudo isso atende pelo nome de Frank Pick, diretor-executivo e vice-presidente do *London Passenger Transport Board* até 1940. O logo clássico pode ser visto até hoje em algumas estações, como *Maida Vale* e *Boston Manor*. Anterior a esse período, vale destacar o icônico trabalho do arquiteto Leslie Green, que assinou estações como Covent Garden, Leicester Square e Camden Town, pra citar apenas três. Mas é fácil reconhecer: a fachada de tijolos aparentes estilo *oxblood* são inconfundíveis.

O mapinha que você pega grátis nas estações, merece um parágrafo à parte. De 1908, surge o primeiro, publicado pela UERL em conjunto com as outras quatro empresas que usavam a marca *Underground*. Mas a versão consagrada data de 1931, proposta por Harry Beck. De cara, as autoridades estranharam o diagrama composto por um emaranhado de linhas coloridas sem nenhuma referência geográfica. Mas o público entendeu a proposta de cara e adorou a novidade. O desenhista seguiu atualizando o trabalho até 1960, quando foi dispensado e teve a ideia adulterada por outros profissionais, o que gerou uma longa e desgastante disputa legal para o autor. Em 1997, veio a homenagem póstuma: a frase "This diagram is an evolution of the original design conceived in 1931 by Harry Beck", impressa em cada mapa produzido desde então.

Na virada do século, o *London Transport* foi adquirido pela *Transport for London*, órgão submetido à prefeitura que opera até os dias atuais. Em 10 de janeiro de 2013, o metrô de Londres completou 150 anos de existência. Nesse dia, eu estava dentro de um dos trens, tendo a ideia de escrever este guia.

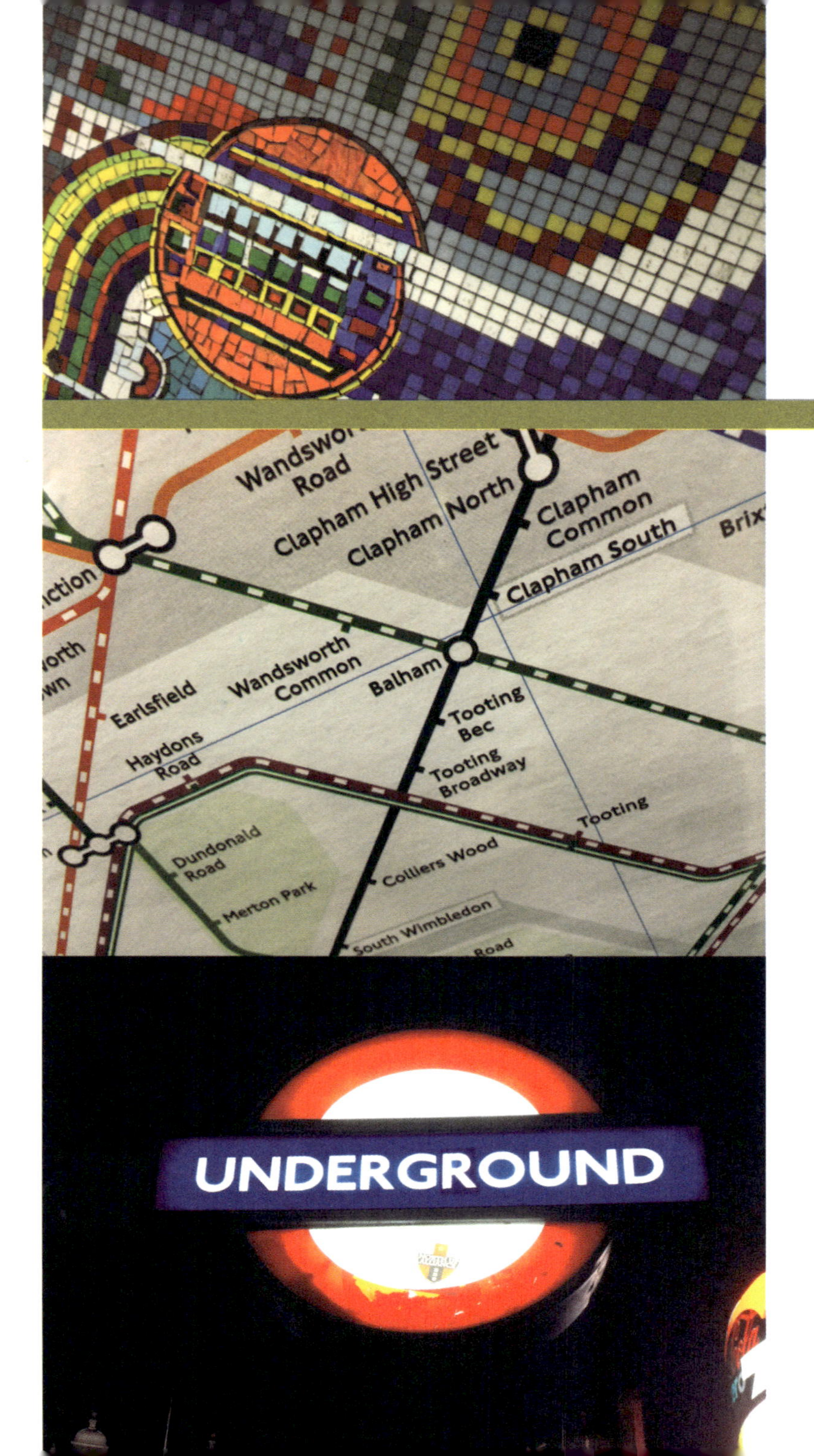

Clapham High Street
Clapham North
Clapham Common
Clapham South
Wandsworth Common
Balham
Earlsfield
Haydons Road
Tooting Bec
Tooting Broadway
Tooting
Dundonald Road
Merton Park
Colliers Wood
South Wimbledon
UNDERGROUND

GUIA DO GUIA

(Leia com atenção antes de começar a usar)

CARO VIAJANTE,

Como você vai perceber, as estações estão em ordem alfabética, mas a leitura é não linear. Ou seja, a sucessão de capítulos não é uma sugestão de roteiro, foi apenas um jeito de organizar o guia. A dica é dar uma boa folheada e já estabelecer as prioridades com base no tempo que você vai ficar na cidade antes de começar a usar o livro pra valer. Outra opção é procurar os pontos turísticos direto no índice temático e ver se mais alguma dica da estação correspondente interessa.

Outra coisa: muitos pontos turísticos podem ser alcançados por mais de uma estação, não estranhe se você descer em uma e trombar outra pelo caminho. A ideia aqui foi blocar as atrações oficialmente mais próximas de alguma estação para facilitar os passeios. Tudo isso usando fontes oficiais de informação dos órgãos de turismo da Inglaterra, sites especializados, blogs bem recomendados e, claro, fazendo o *test drive* por conta própria.

Chegando a Londres, sugiro a compra de um **chip** de alguma operadora local (a que eu mais gosto é a O2). É o jeito mais barato de ficar conectado durante a viagem e não depender de filar *wi-fi* aqui ou ali. Com 10 libras dá pra garantir internet honesta por 30 dias no sistema pré-pago.

Uma vez conectado, recomendo baixar algum app do metrô londrino. O meu preferido é o **Tube Map**. Basta ir em *routing*, digitar onde o trajeto começa e termina que o programa vai calcular a melhor rota. Mas é sempre bom ter o *backup* em

papel do tradicional mapinha que pode ser retirado gratuitamente em qualquer estação.

O jeito mais em conta de andar de metrô é usando o **Oyster card**. O desconto pode chegar a 3 libras por trajeto, o que é uma bela economia na soma das viagens, considerando a cotação. Aliás, não só metrô, mas o cartão pré-pago vale também para: Overground, DLR, ônibus, Tramlink, River Services e a maioria das estações de trem de Londres. Em vez de comprar bilhetes avulsos (*day travelcards*), vá ao guichê e peça o Oyster; a carga inicial pode ser de 5 libras e, a máxima, de 90. Depois, basta recarregar nas máquinas que ficam nas estações ou pela internet conforme a necessidade, no esquema "top-up as you go". Eu costumo carregar de 20 em 20 libras. As tarifas são mais baratas fora dos horários de pico, entre 9h30/16 h e das 19 h até fechar.

O metrô é dividido por zonas, as 1 e 2 são as mais próximas do centro da cidade. Quanto mais afastada a zona, no caso a 9, mais caro o bilhete avulso ou valor a ser descontado no Oyster. Mas a maioria das dicas aqui do guia estão dentro do "garrafão". Olhando o mapa, dá pra visualizar bem a "garrafa" formada por diversas linhas dentro da zona 1. Um exemplo de zona mais distante citada aqui é a estação *Wembley Park*, que fica na 4.

O metrô de Londres é um ambiente seguro e bem monitorado e cada estação tem seu próprio coordenador, que acompanha o movimento através das diversas câmeras instaladas no local. Qualquer comportamento suspeito, denuncie. E procure não encarar ninguém nos trens, mais até por educação; em último caso, por precaução.

Pra terminar, não hesite em pedir ajuda em caso de dúvida ou necessidade, pois os funcionários do metrô são muito bem treinados para isso. Há sempre algum perto das catracas pronto a esclarecer a rota ou liberar a sua passagem em caso de algum problema com o bilhete ou o Oyster. O *staff* em geral é cordial, simpático e prestativo.

MIND THE GAP

ENTRANCE
UNDERGROUND

ALDGATE EAST

(Hammersmith & City Line)
(District Line)

DESÇA AQUI PARA:
BRICK LANE MARKET e BACKYARD MARKET

CARO LEITOR-VIAJANTE, ALFABETICAMENTE FALANDO, ESTA é a sua primeira parada, que por pouco não se chamou *Commercial Road. Aldgate East* abriu as portas no dia 6 de outubro de 1884. Algum tempo depois, em 1938, a estação "andou" alguns metros até onde se encontra hoje, por conta de obras de expansão do metrô.

Cuidado para não descer acidentalmente na prima *Aldgate*, se bem que as duas estações são tão próximas que o staff do metrô costuma dizer: *five minutes walking*.

Saindo do trem em *Aldgate East*, procure pela exit que indica *Whitechapel Art Gallery*, essa é a saída mais próxima a famosa feirinha da Brick Lane. Você vai sair colado à galeria de arte fundada em 1901; é o espaço mais antigo da cidade especializado em exposições temporárias. *Guernica*, de Picasso, já passou por ali. Para os amantes de artes clássica, moderna ou contemporânea, vale o pit-stop rápido antes de se jogar no mercadinho de rua.

Saindo da estação ou da galeria, vire à esquerda e já entre na primeira rua à esquerda, na Osborn Street. Pronto, é só seguir em frente que na segunda quadra o nome já muda para **Brick Lane**. É o típico passeio de domingo em Londres. Vale lembrar que a capital inglesa é chegada numa feira de fim de semana, vide *Camden Town, Spitafields* e *Notting Hill*, mas dá pra dizer – sem desmerecer as outras – que o *Brick Lane Market* está um tom acima. A rua

é enorme, corta o antigo reduto de *Jack – The Ripper* num desfile de muquifinhos do "mundo árabe", lojinhas de bugigangas diversas, livrarias e até cabeleireiro. Mas, lá pelo meio da rua, ali na altura do número 91, surge um mercadão de fazer inveja a qualquer expositor da Praça Benedito Calixto. Os paulistanos que me perdoem e visitem Londres o mais rápido possível.

Como é comum na cidade, a área abriga feiras desde o século 17, quando os fazendeiros negociavam aos domingos. Já no século 20, o pedaço foi invadido por imigrantes vindos de Bangladesh, Índia e Paquistão que transformaram o astral e deram uma apimentada na região. Até hoje, as *curry houses* estão por ali. No caminho do mercado propriamente dito, o comércio asiático toma conta da rua.

De repente, um imenso galpão aparece. A antiga sede de uma cervejaria, na área conhecida como *The Old Truman Brewery* (ou *Black Eagle Brewery*), desde 2000 hospeda o **Brick Lane Market**. São cerca de 250 expositores vendendo de tudo um pouco: camisetas, roupas usadas, artesanato, discos de vinil e comida, muita comida. A especialidade quem escolhe é você: italiana, mexicana, etíope, alemã, indiana, árabe, portuguesa e, claro, brasileira. O "Garota de Ipanema" serve feijoada, coxinha e brigadeiro de

sobremesa. A dica é almoçar por ali mesmo, entre uma comprinha e outra. E não deixe de visitar o piso de baixo do espaço, com diversos brechós e sebos interessantes.

Saindo do mercadão e passando pelos típicos cantores de rua e muros grafitados pelo artista britânico Banksy, mais à frente, do lado direito, fica o **Backyard Market**. Esse mercado abriu em 2006, muito provavelmente pelo excesso de contingente do *Brick Lane*. Mas ali a pegada é outra, o espaço do "jardim dos fundos" é ocupado por designers e artistas em geral, que vendem desde camisetas customizadas a quadros exclusivos. Lugar ideal pra fugir da lembrancinha "lugar-comum" estilo *Big Ben - black cab - double decker*. A noite, em *East London,* é movimentada também; se for o caso, se jogue nos *nightclubs* e comprove.

Depois do passeio caprichado, é só seguir a *Brick Lane* no sentido contrário e pegar o metrô de volta pro hotel.

Soundtrack
On Every Street – Dire Straits

Serviço
Brick Lane Market
91 Brick Lane, London E1 6QR
Tel: 020 7770 6028

Backyard Market
The Old Truman Brewery, 91
Brick Lane, London E1 6QL
Tel: 020 7770 6028

Whitechapel Art Gallery
77-82 Whitechapel High St,
London E1 7QX
Tel: 020 7522 7888

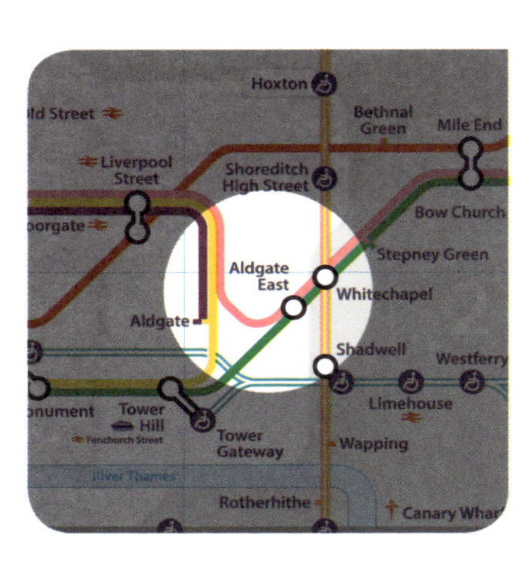

ARSENAL

(Piccadilly Line)

DESÇA AQUI PARA:
EMIRATES STADIUM e
HIGHBURY SQUARE

PIT-STOP OBRIGATÓRIO PARA OS FÃS DE ESPORTE, FUTEBOL internacional e da *Premier League*, o prestigiado e milionário campeonato inglês.

De cara, uma curiosidade: **Arsenal** é a única estação do metrô de Londres que tem o nome diretamente ligado a um time de futebol. Foi inaugurada em 1906 como *Gillespie Road,* mas, em função dos *gunners* (apelido dado ao time vermelho e branco por ter sido fundado por trabalhadores de uma fábrica de armamentos), foi rebatizada em 1932 com o nome de *Arsenal Highbury Hill.*

A campanha para a mudança de nome começou em 1913, quando o clube se mudou de *Woolwich* para *Highbury*, bairro da zona sul londrina. Em 1960, o sobrenome da estação saiu, ficando só *Arsenal* mesmo. Já o antigo estádio, *Highbury – The Home of Football*, funcionou até 2006, ano em que foi inaugurada a atual casa do time inglês, que começou a ser construída em 2004.

Emirates Stadium. O nome vem da companhia aérea *Emirates*, que patrocinou a construção e detém o *naming rights* da arena. A visita vale por vários motivos: o *Stadium Tour*, o museu, a loja oficial e o fácil acesso; a moderna casa do Arsenal fica a menos de 5 minutos a pé da estação do metrô. Dica: reserve de duas a três horas, o passeio é caprichado.

Existem duas maneiras de conhecer os bastidores: a mais comum é a chamada *self-guided audio tour*, em que o visitante recebe um *gadget* do tamanho de um telefone celular com um teclado, uma telinha e também

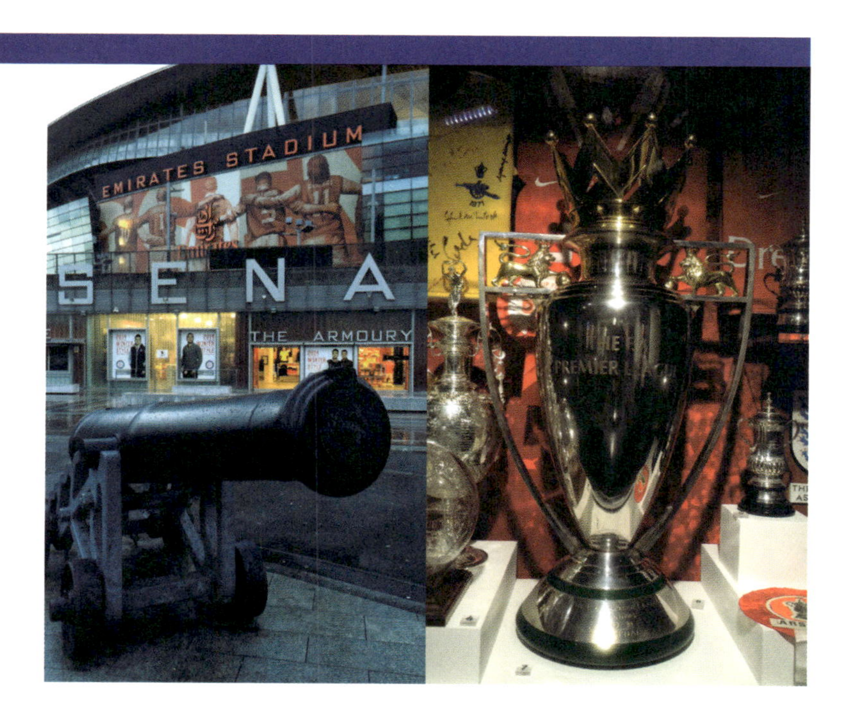

fones de ouvido. Uma voz em *off* dá todas as instruções e dita o caminho a ser percorrido passo a passo em 9 línguas: inglês, holandês, francês, alemão, espanhol, português, italiano, japonês e até mandarim, tudo com o apoio de vídeos, depoimentos do *manager* Arsène Wenger e jogadores do clube.

A outra opção é fazer o *legends tour*, em que a visita ao *Emirates* é guiada por algum ex-jogador do Arsenal. Essa modalidade é mais cara e dá direito a um *souvenir* especial: uma foto com o craque da vez.

Seja qual for o *tour* escolhido, você vai desembocar no museu interativo do clube, cheio de relíquias dos *gunners*: as chuteiras de Michael Thomas,

autor do gol que deu o título de 1989 ao Arsenal em cima do Liverpool; as camisas de Charlie George usadas na final de 1971 da *FA Cup* e também a de Alan Smith, da final de 1994 da *European Cup Winners Cup* contra o Parma, da Itália. E, claro, um monte de troféus e afins.

Saindo do museu, a parada na loja oficial é inevitável. *The Armoury – Highbury House* é uma megastore completíssima, abarrotada de uniformes de jogo, agasalhos de viagem e toda sorte de lembranças: canecas, canetas, chaveiros, camisetas, meias, munhequeiras, caneleiras, bolas e tudo mais. Você também pode visitar a loja sem passar pelo *tour* ou museu; fica aberta de segunda a sábado, entre 9 h e 18 h. Já aos domingos, das 10 h às 16 h.

Saindo da loja, inspire-se no nome *Highbury House* e vá conhecer o antigo *Arsenal Stadium*. Ou melhor, o que sobrou dele. O mítico **Highbury** era a casa dos gunners, entre 1913 e 2006, quando o francês Thierry Henry, um dos maiores ídolos da história recente do clube, carimbou a despedida com um *hat-trick* (quando o jogador faz 3 gols numa mesma partida) na vitória de 4 x 2 sobre o Wigan. Na comemoração, Henry ajoelhou e beijou o gramado. Aliás, um pedaço da grama do círculo central foi arrancado do campo logo após o apito final da peleja e está exposto no museu do clube.

Aí vai o caminho das pedras: já do lado de fora do *Emirates*, atravessando a *Ken Friar Bridge*, vá na direção contrária à estação do metrô e vire à esquerda na primeira rotatória. Suba algumas quadras e vire na terceira à esquerda de novo, agora na *Avenell Road*. Pronto, mais alguns metros e você vai encontrar o *Highbury Square* do lado esquerdo da rua.

A antiga casa do *Arsenal*, desde 2010, é a nova casa de centenas de ingleses: o conjunto de prédios, com 650 apartamentos, foi colocado à venda em outubro de 2005. E saiu mais rápido do que ingresso de jogo: pouco mais de seis meses depois, todos já estavam vendidos. E o mais bacana da história é que uma parte da fachada foi mantida. Enquanto no Brasil, blocos inteiros tombados de estádios são demolidos na calada da noite, na Inglaterra, preservam a história mesmo com passe livre pra derrubar tudo. Até Robert Pirès, ex-jogador do clube, garantiu um *flat* por lá.

Pare em frente ao *East Stand* do antigo *Highbury*, se delicie com o estilo *art déco*, tire quantas fotos quiser e faça o caminho de volta ao metrô. Se der fome, pare no mercado *Tesco* que fica no 71 da *Drayton Park* (rua da estação Arsenal) e pegue um sanduba de *Tuna & Sweetcorn* antes de entrar no trem.

Comprar ingresso para jogos do Gunners não é fácil. Além de praticar os preços mais elevados da Premier League, o Emirates lota seus 60 mil lugares sempre. Os torcedores adquirem tíquetes de temporada e ocupam as cadeiras da casa do Arsenal a cada rodada. Jogos de Copa da Liga ou Copa da Inglaterra costumam ser mais acessíveis, mas não baratos. Torcedores de outros times, como os do Manchester City, já protestaram quando tiveram de desembolsar quantias altas para apoiar a equipe de coração em visitas à casa do Arsenal. Isso torna o tour ao estádio uma opção que não pode ser ignorada.

Mauro Cezar Pereira - Jornalista Esportivo - ESPN

Soundtrack
Fix You – Coldplay
(o vocalista Chris Martin é torcedor do clube)

Serviço
Emirates Stadium
Hornsey Rd, London N7
Tel: 020 7619 5003

Highbury Square
(antigo Arsenal Staduim)
Avenell Road, N5
Tel: 020 7609 1111

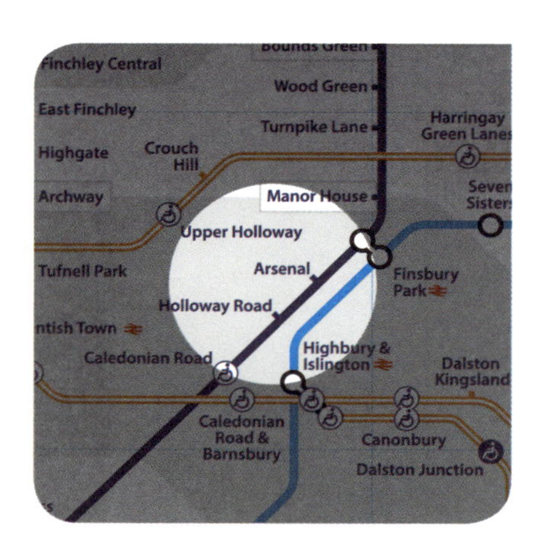

BAKER STREET

DESÇA AQUI PARA: SHERLOCK HOLMES MUSEUM, MADAME TUSSAUDS e LONDON BEATLES STORE

(Circle line) (Hammersmith & City line) (Metropolitan line) (Bakerloo line) (Jubilee line)

A SILHUETA DO PERFIL COM O CACHIMBO NA BOCA NOS azulejos das paredes do túnel desvenda o mistério: você está em *Baker Street*, uma das primeiras estações de metrô do mundo, aberta em 1863. Elementar, caro leitor: a decoração temática, única do *tube* londrino, é em homenagem ao personagem Sherlock Holmes. E é sempre bom lembrar que o detetive é fictício, foi criado pelo escritor escocês Sir Arthur Conan Doyle em 1887, e "resolveu" cerca de 50 casos até 1914. Mas, mesmo não tendo existido de fato, o astuto investigador tem até endereço: 221B, Baker Street. E é mais ou menos ali, no antigo número 239, que fica o Museu. Saindo da estação, você vai dar de cara com a estátua, não tem erro.

Vá preparado para uma filinha enjoada, o normal é esperar cerca de 40 minutos pra entrar; na alta temporada, o tempo é de quase 2 h. Chega a ser impressionante a procura que o **Sherlock Holmes Museum** tem, principalmente se a gente levar em conta que o investigador nunca existiu. Parte do sucesso ainda nos dias de hoje pode ser explicado pelos filmes estrelados por Robert Downey Jr. e Jude Law, como Dr. Watson. Mais recentemente, a série *Sherlock*, produzida pela *BBC One*, deu outra boa revitalizada no personagem vivido pelo ator Benedict Cumberbatch: a terceira temporada é o seriado de TV com maior audiência do Reino Unido desde 2001.

Voltando ao museu inaugurado em 1990, você vai encontrar o quarto do detetive, sua sala de estudos, o laboratório, o quarto do Dr. Watson, banheiros e tudo mais. A filha do autor, Jean Conan Doyle, não era lá muito

favorável à criação do espaço, temendo que o público achasse que o personagem criado pelo pai de fato tivesse existido. Mas isso foi resolvido com uma placa comemorativa do lado de fora do prédio. Não deixe de visitar a lojinha, ótima pra comprar lembrancinhas com a marca de um dos clássicos da literatura britânica.

Bem ao lado do museu fica a **London Beatles Store**, que se apresenta como "a primeira e única" loja dos *fab four* da cidade. Exageros à parte, a lojinha é realmente muito bacana e tem de tudo: camisetas, bonés, bolsas, livros, posters, óculos estilo Lennon, canecas, mouse pads, brinquedos, discos e alguma memorabília de época que chega a valer por volta de 10 mil reais. Bem em frente, e dos mesmos donos, fica a *it's only rock n'roll*, que conta com artigos para roqueiros em geral. Ali perto fica o prédio que abrigou a primeira "Apple Store", muito anos antes de Steve Jobs ter criado a "mac-maçã": a **Apple Boutique** abriu as portas em 07 de dezembro de 1967, na esquina da Baker Street com a Paddington Street. "A beautiful place where beautiful people can buy beautiful things", disse Paul, na época. Mas a loja foi um fracasso retumbante e baixou as portas 6 meses depois, em 30 de julho de 1968. Para saborear uma massinha honesta uma boa pedida é o Izzi Ristorante, que fica em frente ao emblemático edifício, ali na Paddington mesmo.

Já a personagem do outro museu famoso da região e um dos pontos turísticos mais visitados de Londres, **Madame Tussaud's**, existiu de fato. Anna "Marie" Tussaud foi uma artista francesa que ficou famosa na virada do século 18 pelo trabalho com esculturas de cera, arte que aprendeu com seu tio de consideração, o físico Phillippe Curtius. Em 1835, ela se mudou para Baker Street e abriu um museu com máscaras em cera de vítimas da Revolução Francesa, além de alguns criminosos e assassinos da época. Aos poucos, figuras famosas foram sendo adicionadas à mostra. O autorretrato que ela fez em 1842 está até hoje exposto na entrada do museu, que de tanto crescer acabou incorporando o antigo *London Planetarium* em 2006. Apesar das constantes atualizações, as esculturas clássicas da família Real, Elvis, Beatles, Churchill, Hitler, Hitchcock, Chaplin, Mandela, Lady Di e até Pelé estão firmes e fortes, nunca saem de moda. São 10 categorias ao todo com cerca de 400 estátuas só na matriz, em Londres. A maior delas, claro, é a do Hulk. Em geral, demoram 4 meses pra ficar prontas, envolvem o trabalho de 20 artistas e custam a bagatela de 150 mil libras, uns 600 mil reais. Tire muitas fotos, abrace, faça poses, mas não quebre, o prejuízo é razoável.

Soundtrack
Baker Street Muse – Jethro Tull

Serviço
The Sherlock Holmes Museum
221B Baker St., London NW1 6XE
Tel: 020 7224 3688

Madame Tussaud's
Marylebone Rd, London NW1 5LR
Tel: 0871 894 3000

London Beatles Store
231-233 Baker St., London NW1 6XE
Tel: 020 7935 4464

DESÇA AQUI PARA:
WHITELEYS e BAYSWATER ARMS

BAYSWATER

(District Line) (Circle Line)

QUEENSWAY

(Central Line)

INCLUÍ ESSE CAPÍTULO PRA PODER PUXAR A BRASA PRA MINHA sardinha. Ou melhor, pro meu *fish & chips*. A minha Londres começa aí, é onde costumo me hospedar e de onde parto para as minhas andanças de metrô. É o capítulo muito pessoal, dica de amigo; meu diário de bordo é um livro aberto.

Mas não vim parar nesses lados à toa: *Heatrow Express*, o trem que você muito provavelmente vai pegar quando sair do aeroporto, chega em *Paddington*. Ou seja, dependendo do caminho, uma parada depois – ou antes – de **Bayswater**. É enfiar a mala no metrô como os londrinos fazem e chegar ao hotel. E, como você percebeu no alto da página, **Queensway** também aparece no capítulo dividindo a cena, um caso único neste guia. Na verdade, como a estação *Bayswater* fica na *Queensway*, nada mais justo do que incluir a antiga *Queen's Road* na história. E essa dobradinha facilita tanto a vida do *londoner* quanto a do turista, porque

ao todo são três linhas diferentes: uma serve à *Central* e a outra à *District* e à *Circle*. Isso quer dizer que, dependendo do seu destino, você pode optar por uma ou outra. Por exemplo: de *Bayswater*, você vai conhecer as locações do filme em *Notting Hill* sem precisar fazer baldeação. O mesmo acontece com a *Queensway*; se você quiser ir às compras em *Oxford Street*. Basta checar no mapinha do metrô – ou em algum aplicativo de *smartphone* – qual a melhor rota.

Dito isso, é bom informar que a área é multicultural, como dizem na Inglaterra. Muita gente de países como Índia, Egito, Bangladesh, China, Tailândia e Brasil. Tanto que o *pub* **The Bayswater Arms** acabou virando uma espécie de ponto de encontro. Quase sempre que estive lá, ouvi alguém falando português numa mesa próxima. Outro *pub* bacana na área é o *Prince Alfred*, com música ao vivo em alguns dias da semana. A igreja da rua, *Our Lady Queen of Heaven*, tem até uma bandeirinha brasileira do lado de fora. Chamam até o bairro de "Brazilwater". Já os indianos dominam as lojas daquelas lembrancinhas baratas de 1,99 que entopem a mala e a gente adora levar. E, justamente por causa disso, eles também vendem aquelas bolsas gigantes e baratas (em torno de 15 *pounds*) que a gente precisa comprar na véspera do embarque de volta.

Mas a grande atração da área, que também conta com lojas de telefonia, papelaria, uma lanchonete do *Pret a Manger* (são mais de 300 pela cidade) e uma sorte grande de restaurantes, é a **Whiteleys**. A galeria, onde fica a loja de departamentos mais antiga de Londres, é *Grade II listed building*. Em bom português, o prédio atual construído em 1911 é tombado pelo governo britânico. Mas o primeiro endereço data de 1863 e ficava ali pertinho, na *Westbourne Grove*. Em 1981, a megastore fechou e uma nova *Whiteleys* reabriu 8 anos depois, em 1989. Hoje são três andares de lojas, restaurantes e cinemas do grupo *Odeon*. Cenas de filmes como *Closer – Perto Demais* e *Simplesmente Amor* foram rodadas ali.

E, pra ficar perto disso tudo, eu costumo me hospedar no **The Caesar**, na Queens *Gardens*. O hotel 4 estrelas fica num típico prédio da era vitoriana, recentemente reformado, e tem 140 quartos de tamanhos diferentes disponíveis. Pertence ao grupo espanhol *Derby Hotels Collection*, que detém cerca de 15 outros, a maioria em Barcelona, mas também com unidades em Madrid e Paris. Em termos de estrutura, o hotel oferece academia, sauna e *business room* além de duas áreas gastronômicas, um bar e um restaurante. O *staff* é atencioso, prestativo e simpático. Pelo conjunto da obra, o preço é bem honesto. Reservando on-line você consegue o café da manhã grátis e economiza uma boa grana por dia.

E na perpendicular do hotel, a *Leinster Gardens*, fica uma casa digna de cidade cenográfica: o número 23-24 é só fachada, as portas não levam a lugar algum e as janelas são pintadas na parede. Mas a pegadinha não é gratuita, as residências que existiam ali de fato tiveram que ser demolidas em 1868 para uma expansão do metrô que fora inaugurado 5 anos antes. O túnel do então novo trecho *Paddington-Bayswater* precisava de ventilação e aí, literalmente, a casa caiu. Vale conferir.

Outra dica é pegar a Queensway no sentido oposto às estações do *tube*, fazer uma parada na loja de eletrônicos *Maplin*, e seguir até chegar na Westbourn grove. A rua é enorme e cheia de serviços: logo na esquina tem um *pub* bem bacana, o The Redan. E, do mesmo lado da calçada, tem mercado, vários restaurantes (o meu preferido é o italiano Arancina), bancos, lojas de móveis e até gráfica rápida (Edox), caso você tenha esquecido seus cartões de visita no Brasil. Vai saber, né?

Soundtrack
Somewhere only we know – Keane

Serviço
Whiteleys Shopping Centre
Queensway, London, W2 4YN
Tel: 020 7229 8844

The Caesar
26-33 Queen's Gardens, Hyde Park, London W2 3BE
Tel: 020 7262 0022

Bayswater Arms
Bayswater, London, W2 4QH
Tel: 020 7727 0259

BOND STREET

DESÇA AQUI PARA:
OLD & NEW BOND STREET e SAVILLE ROW

(Central line) (Jubilee line)

EU SEI QUE PARECE ESTRANHO, MAIS VOU AVISAR LOGO: a estação **Bond Street**, que por pouco não se chamou *Davies Street*, vai te deixar na... Oxford Street. Coisas de Londres, nem repare. Você pode sair direto na rua ou no *West One Shopping*, tanto faz. E outra: não adianta procurar pela *Bond Street* apenas, ela não existe, a rua é dividida em duas partes: o pedacinho ao sul sentido Piccadilly é *Old,* e o norte, que começa na Oxford Street em frente à *Debenhams*, chamam de *New*.

É uma espécie de "Oscar Freire" londrina, usando a rua do Jardins, em São Paulo, como parâmetro. Ou ainda a Rodeo Drive, em Los Angeles. A rua, que está ali desde 1686, sempre foi considerada sinônimo de moda e estilo. A mulherada fica louca com as marcas estabelecidas: *Prada, Louis Vuitton, Burberry, Michael Kors, Dior, Gucci, Dolce & Gabbana* e mais uma dezena delas. Todas enormes, com vitrines caprichadíssimas. A *Chanel*, por exemplo, é a maior unidade do mundo. Uma das mais antigas na área é a *Fenwick*, tradi-

cional loja de departamentos de Newcastle que se instalou na *Bond Street* em 1891. Destaque também para um morador famoso: o escritor irlandês Jonathan Swift, autor de *As Viagens de Gulliver.*

Jimi Hendrix é outro que morou nas redondezas, mais exatamente no número 23 da **Brook Street**, uma travessa da Bond. O guitarrista mudou pra lá com a então namorada Kathy Etchingham em 1968 e ficou até 1969. Reza a lenda que Foxy Lady foi composta ali. A casa é facilmente identificável, tem aquela plaquinha azul redonda com as informações. Mas, no

fatídico 18 de setembro de 1970, o endereço era outro: 22 da Lansdowne Crescent, em Notting Hill.

Já que demos uma paradinha na Brook Street, não custa falar do **Claridge's**. O hotel, segundo um dos gerentes, é "top 2" de Londres. Há quem diga que chega a ser o mais caro da cidade. Celebridades na lista de hóspedes é o que não falta: Cary Grant, Audrey Hepburn, Alfred Hitchcock, Brad Pitt, Mick Jagger, o pessoal do U2 e Mariah Carey. Winston Churchill costumava aparecer; até a rainha deu o ar da graça num evento ou outro. Alex James, baixista da banda Blur, disse uma vez: "To Wake up at Claridge's is to Wake up invencible". E, no mínimo, 250 libras mais pobre.

Voltando às compras, a rapaziada também não tem do que reclamar, principalmente os amantes de relógios e canivetes suíços: a *Victorinox Flagship*

Store é impressionante. Na parte de cima, roupas, perfumes e relógios. Embaixo, um andar só de facas e canivetes, de todos os tipos e tamanhos. Tem até um espaço pra montar seu próprio canivete na hora, o que eles chamam de *knife assembling*, mas isso só com hora marcada. No mais, é olhar as vitrines da *Cartier* e *Montblanc* enquanto as moças se divertem.

Lá na ponta da parte *Old* fica a *Vere Street*, onde no número 3 se encontra o **Consulado Geral do Brasil em Londres**. É fácil identificar o prédio com a bandeira brasileira tremulando na porta. Lá eles cuidam de passa-

portes, legalização, vistos e várias outras questões. Mais informações no site do Itamaraty.

Depois de uma bela andada na rua parando de loja em loja, vire à esquerda na *Burlington Gardens*. Passando a saída da *Burlington Arcade*, do seu lado direito, você vai ver um trecho fechado para carros passarem reto, obrigando os veículos a seguirem à esquerda. Siga o fluxo e entre na **Saville Row**. A rua, famosa pelas lojas de estilistas e renomados alfaiates, também ficou conhecida pelo prédio que ocupa o número 3: ali funcionava o escritório da *Apple* original. Não a de Steve, e sim a de John, Paul, George e Ringo. Foi ali também, em 30 de janeiro de 1969, que os Beatles se apresentaram pela última vez no famoso show do telhado. As cabines telefônicas que apa-

recem no filme estão ali até hoje, pode conferir no *YouTube*. Mas atente para o detalhe: o *rooftop* certo é o do prédio ao lado, o número 2. E o show foi interrompido pela polícia aos 42 minutos, que cortou a energia da rua, que obviamente ficou tumultuada atrapalhando o comércio e o trânsito locais. Mas deu tempo de os Beatles fazerem nove *takes* de cinco canções até a *Metropolitan Police* acabar com a festa, a saber: *Get Back, Don't Let Me Down, I've Got A Feeling, One After 909* e *Dig A Pony*. A ideia era usar as imagens para um final apoteótico do documentário *Let It Be*. Mas a apresentação terminou com o seguinte discurso de Lennon:

> *I'd like to say thank you on behalf of the group and ourselves and I hope we've passed the audition.*

Coloque *Get Back* pra tocar, encoste no prédio da frente olhando pra cima e... Imagine.

Soundtrack
Get Back – The Beatles

Serviço
Consulado Geral do Brasil em Londres
3, Vere Street
London W1G 0DG

Apple Corps
3, Saville Row (show no telhado do 2)

Claridge's
49 Brook St, Mayfair, London W1K 4HR
Tel: 020 7629 8860

CAMDEN TOWN

(Northern Line)

DESÇA AQUI PARA:
CAMDEN MARKET, CAMDEN LOCK VILLAGE, THE HAWLEY ARMS e ROUNDHOUSE

É SAIR DA ESTAÇÃO E DAR DE CARA COM LOJAS DESCOLADAS por todos os lados. Para os paulistanos, uma verdadeira José Paulino hype. Já para os cariocas, acostumados às compras em Petrópolis, uma Rua Teresa do rock, e assim por diante; cada cidade do Brasil deve ter uma rua similar. Basta caminhar pela *Camden High Street* em direção ao famoso mercado e ir parando nas vitrines e fachadas que mais chamarem atenção.

Se você gosta de artigos em couro, não deixe de passar na *House of Leather*. É superfácil de achar, uma loja com um avião pendurado de cabeça pra baixo não passa despercebida. As jaquetas são variadas, estilosas e baratas, chegam a custar até cinco vezes menos do que no Brasil. Os vendedores entendem do riscado e são prestativos.

Seguindo na linha das referências, o mercado em si lembra muito feiras de rua como as das praças Benedito Calixto, em São Paulo, e de Ipanema, no Rio. Muito artesanato, camisetas com o rosto de Amy Winehouse em profusão e, claro, acessórios para todos os gostos. É se embrenhar pelas barraquinhas e garimpar as peças mais bacanas.

O **Camden Lock**, às margens do *Regent's Canal*, fica coladinho no mercado. Dá pra dizer que funciona como uma espécie de praça de alimentação ao ar livre, com especialidades de todos os cantos do mundo: da Índia à China, passando pela Itália e terminando pelo Brasil. Na barraca do Patrick, a "Brazuca", tem coxinha, pão de queijo, pastel, kibe e até bife acebolado, um *steak and onions* pra inglês ver e comer. De sobremesa, brigadeiro ou

beijinho. A brasileirada bate ponto ali, seja pra matar a saudade da comida, comprar um suco Maguary ou perguntar pro dono do estabelecimento a quantas anda o Criciúma, time de coração do catarinense.

Saindo da feirinha às margens do lago e virando à direita na *Castlehaven Road*, a parada no número 2 é indispensável. Este é o endereço do **The Hawley Arms**, *pub* famoso por ser o preferido de Amy Winehouse, que inclusive chegou a morar de favor no terceiro andar do prédio nos tempos de vacas magras, antes da fama. Até por gratidão, e também por gostar do ambiente, a cantora o continuou frequentando.

O lugar é bem aconchegante, tem até um terraço para os fumantes. A comida é saborosa, os preços são honestos e o *staff* tem sempre uma história da intérprete de *Back to Black*.

Saindo dali e caminhando no sentido bairro, procure pela *Camden Road* e siga reto mantendo-se à direita por uns 15 minutos até aparecer uma placa na esquina: *Murray Street – leading to Camden Square*. É o caminho para o último endereço da cantora, o número 30 da praça onde fica o *Camden Square Gardens*. Não se preocupe, você vai achar. Seja pela peregrinação

de fãs, que até hoje param em frente ao predinho pra tirar fotos da fachada, seja pelas árvores na frente com bilhetinhos e flores.

De volta à *Chalk Farm Road*, uma passadinha na **Escapade** pode ser divertida: a loja, de fantasias e artigos para festas, é sensacional. Eles vendem uns kits prontos inspirados em filmes de sucesso muito bem-feitos e relativamente baratos: Grease, Blues Brothers e Top Gun, pra citar alguns.

Ali perto fica uma lendária casa de shows, a **Roundhouse**. O prédio, de 1847, foi originalmente construído para servir de casa de máquinas à malha ferroviária de Londres. Funcionou assim por cerca de uma década, virou depósito e fechou as portas um pouco antes da Segunda Guerra. E assim permaneceu por 25 anos até que, em 1964, foi reformada e transformada em casa de espetáculos. Rebatizada de *Centre 42 Theatre Company*, recebeu atrações do quilate de The Doors, Jimmy Hendrix, Ramones, Pink Floyd, David Bowie, The Yardbirds, Led Zeppellin e The Clash.

O prédio anexo, onde funciona a organização chamada *The Roundhouse Trust*, guarda uma passagem curiosa: *Highway to Hell*, um dos maiores sucessos do AC/DC, foi gravado no térreo do edifício, em 1979. Reza a lenda que o técnico de som da banda australiana na época, Mark Dearnley, cismou com a acústica do local e mandou a produção armar o circo ali mesmo pra registrar a faixa de abertura do disco que leva o mesmo nome. O restante da sessão rolou no *Criteria Studios* em Miami, na Flórida. Foi nas redondezas de *Roundhouse* que cerca de um ano depois, em 19 de fevereiro de 1980, o vocalista Bon Scott foi encontrado morto dentro de um carro depois de uma noitada, na então *Music Machine*, atual *KOKO*. Basta seguir a Camden High Street no sentido contrário aos *markets*, já esbarrando na estação Mornington Crescent.

Soundtrack
You Know I'm No Good – Amy Winehouse

Serviço
Camden Market
Camden High Street, London NW1 8NH
Tel: 020 7284 2084

The Hawley Arms
2 Castlehaven Rd, London NW1 8QU
Tel: 020 7428 5979

Casa Amy
Camden Square, 30

Roundhouse
Chalk Farm Rd, London NW1 8EH
Tel: 844 482 8008

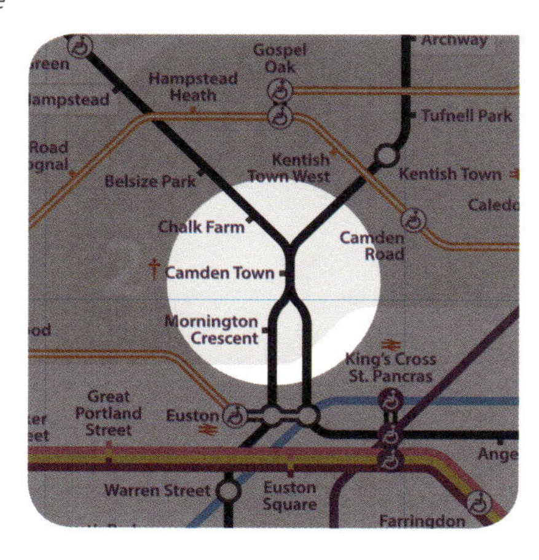

DESÇA AQUI PARA:
TRAFALGAR SQUARE,
NATIONAL GALLERY,
WHITEHALL e
ROCK TOUR

CHARING CROSS

(Northern Line) (Bakerloo line)

COMO DIZEM ALGUNS LIVROS ANTIGOS, *TRAFALGAR SQUARE* está no centro de tudo. Parando num determinado ponto da praça, dá pra ver o *Big Ben* e uma parte do Palácio de Westminster através de *Whitehall*. Um pouco mais pro lado, fica o *Admiralty Arch*, que leva ao Palácio de Buckingham. À direita, fica o badalado *West End*, com todo o burburinho de compras e teatros. À esquerda fica *Strand*, avenida que leva à *City of London*. E, finalmente, atrás está a *National Gallery*. E o melhor é que a estação *Charing Cross* vai deixá-lo bem no meio de tudo isso.

Mas vamos por partes. Por mais de 300 anos, o espaço foi ocupado por estábulos reais, chamados *King's Mews*. John Nash, o arquiteto limpou a área e pronto: em 1830, nascia **Trafalgar Square**. O nome vem da "Batalha de Trafalgar", vencida pela Inglaterra em 1805, muito devido à genialidade de Admiral Lord Nelson. E é justamente o comandante naval, morto na mesma batalha, que repousa no alto da coluna de 50 metros de altura inaugurada em

1843. E, talvez por ficar no centro de tudo, a praça seja o lugar preferido dos londrinos para celebrações nacionais e protestos políticos. Nas festas de fim de ano, o lugar fica intransitável, os corais de Natal e o Réveillon atraem milhares de moradores e turistas.

A **National Gallery**, um pouco mais antiga que a coluna de Nelson; abriu as portas em 1838. O prédio, idealizado pelo arquiteto William Wilkins usando como base os escombros de uma antiga mansão, guarda uma das maiores coleções de arte do mundo: Leonardo da Vinci, Botticelli,

Caravaggio, Rembrandt, Renoir, Monet, Van Gogh, Toulouse-Lautrec, Gauguin, Degas, Manet, e Picasso. E o melhor de tudo: funciona 361 dias por ano e a entrada pra ver as cerca de 2.500 peças do acervo é gratuita. Você até pode fazer uma doação, totalmente facultativa; outro jeito de ajudar é comprando alguma coisa na lojinha.

Saindo um pouco da praça e seguindo sentido centro pela *Strand*, você vai passar pelo hotel **Savoy**, que eu resolvi citar por vários motivos: foi pioneiro na cidade em muitos aspectos, tem um teatro muito bacana e foi locação de um filme bem popular. O pioneirismo se deve ao fato de ter sido o primeiro considerado "de luxo" em Londres: estreou a luz elétrica, elevadores e banheiros privativos nos quartos, ou seja, suítes. E tudo isso começou pelo teatro, que em 1889 já deixava o público eletrizado com a novidade. O prédio passou por duas grandes reformas, em 1929 e 1993. O hotel também ficou famoso por ter recebido a coletiva de imprensa do filme *Um lugar chamado Notting Hill*, onde o desajeitado William Thacker (Hugh Grant) pede a atriz Anna Scott (Julia Roberts) em casamento na frente dos jornalistas. É o ápice da película. À esquerda do lobby fica o *Savoy Grill*, restaurante icônico e bem frequentado: Churchill, Chaplin, Frank Sinatra, Elizabeth Taylor e Marilyn Monroe eram clientes fiéis. Atualmente, é administrado pelo *chef* escocês Gordon Ramsey, aquele mesmo do programa *Hell's Kitchen*.

Mudando de lado, está **Whitehall**. A avenida leva o nome do Palácio, que já foi o maior da Europa, com mais de 1.500 salas. Entre 1530 e 1698, foi residência dos Reis da Inglaterra, até um grande incêndio destruir quase tudo. Só a "Casa de Banquetes", anexo construído em 1622, ficou de pé. Em frente, fica o *Horse Guards*, prédio de 1753, sede da *Household Cavalry*. A troca da guarda montada também faz sucesso, a garotada fica louca com os cavalos. E a foto com a sentinela depois é clássica, isso até ele bater o pé no chão com força e voltar ao posto. Ali também fica o *The Household Cavalry Museum*, o museu oficial da cavalaria.

E como a região é sede do poder britânico, em Whitehall há uma rua fortemente vigiada e cercada de grades: a **Downing Street**. É ali, no número 10, que fica a residência oficial do Primeiro-ministro do Reino Unido. Churchill, Margareth Teatcher e Tony Blair moraram lá onde também fica o escritório do chefe de governo de Sua Majestade.

Em tempo: ali de *Trafalgar*, mais precisamente da *Cockspur Street*, sai o **London Rock Legends tour**. Um micro-ônibus muito louco que visita as locações roqueiras mais importantes de Londres. Muitas das curiosidades musicais do guia, pincei deste passeio de mais de 3 h de duração com um grupo de, no máximo, 16 felizardos.

Soundtrack
Trafalgar – Bee Gees

Serviço
Trafalgar Square
Westminster, London WC2N 5DN
Tel: 020 7983 4750

National Gallery
Trafalgar Square, London WC2N 5DN
Tel: 020 7747 2885

The Household Cavalry Museum
Horse Guards Ave, London SW1A 2AX
Tel: 020 7930 3070

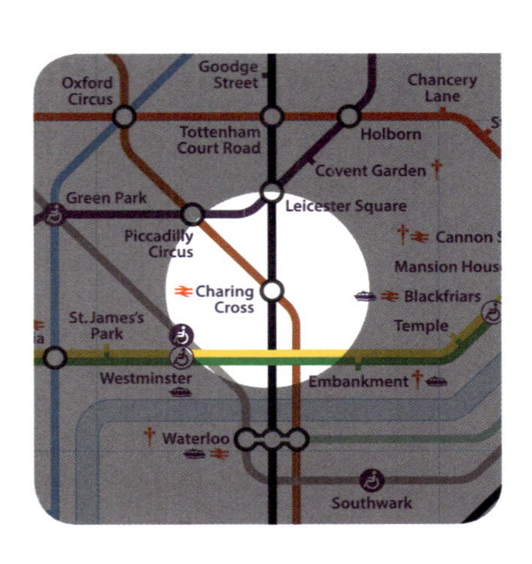

COVENT GARDEN

(Piccadilly line)

DESÇA AQUI PARA:
COVENT GARDEN MARKET, LONDON TRANSPORT MUSEUM e ROYAL OPERA HOUSE

TUDO AO MESMO TEMPO, NA MESMA PARADA: COMPRAS, gastronomia, arte e história. Uma visita à **Covent Garden** é garantia de lojas bacanas, boa comida, artistas de rua incríveis, espetáculos de ópera e outras diversões. E o passeio já começa na estação aberta em 1906 e tombada, que ainda conserva certo ar retrô, com a marca do arquiteto inglês Leslie Green. As *stations* que levam a assinatura dele têm uma identidade visual bem definida, até a sinalização é estilizada.

A estação é uma das poucas sem escadas rolantes, o acesso à rua é feito pelos quatro elevadores ou pela escada normal. Mas, se tiver disposição respire fundo e suba na manha: são 193 degraus, o equivalente a um prédio de 15 andares. Depois de passar a catraca, vire à direita e siga em frente. Você vai dar de cara com o **Covent Garden Market**, um dos mercados mais tradicionais da capital, fundado em 1835. Ele foi mudando o perfil ao longo dos anos, adequando-se pra atender às necessidades do povo londrino. Tanto que um *New Covent Garden Market*, especializado em frutas, legumes e flores, foi aberto em *Nine Elms*. Uma

vez dentro, o difícil é se decidir entre um *burger* no *Shake Schack* ou um *fish & chips* no *Union Jack*, um dos restaurantes do Jamie Oliver espalhados pela cidade. Isso sem falar nos artistas que se apresentam na *Piazza* e no **Apple Market**, um mercadinho de antiguidades e artesanato que sobreviveu dentro do antigo mercado principal. A sobremesa pode ser na lojinha do *Ben's Cookies*, de preferência o *Milk Chocolate Chunk*.

Além dos restaurantes, o espaço também é lotado de lojas interessantes. A da *Apple* é enorme, com espaço para eventos, workshops e afins. Para os

amantes de relógios esportivos, a loja da *Casio* é a *flagship store*, loja conceito. Verdadeiro showroom de *G-shocks*. No subsolo, uma seção de modelos *vintage* com preços bem acessíveis.

Nos arredores do mercado, ficam outras duas atrações do pedaço. Vamos começar pelo LTM, ou **London Transport Museum**. Mais legal e menos badalado do que muitos outros espalhados por Londres, é entrar e curtir, fila zero. O museu explora o patrimônio do sistema público de transportes de um jeito muito charmoso, dá pra ter uma noção bem boa da evolução nos últimos 200 anos. São três andares de réplicas fiéis e muita coisa original. Destaque, claro, para os vagões antigos do metrô. Dá pra entrar, sentar e viajar no tempo. Cartazes e mapas de todas as épocas, sinalizações inconfundíveis, fotos e atrações multimídia também estão disponíveis. No final, claro, uma lojinha tentadora.

Ali perto do *LTM* fica a **Royal Opera House**, uma das mais importantes casas de ópera do mundo. O teatro foi um dos poucos a receber o selo "real" numa época em que espetáculos eram controlados pelo governo; ninguém estava muito interessado em textos subversivos sendo divulgados ao povo.

O curioso é que o atual prédio, de 1858, é o terceiro no mesmo local. Os dois anteriores, de 1732 e 1809 respectivamente, foram destruídos pelo fogo. O primeiro não resistiu a um show pirotécnico; o segundo, a uma guimba de cigarro displicentemente jogada durante uma festa. Em meados dos anos 1990, o teatro passou por uma gigantesca reforma, um novo anexo foi construído, com salas de ensaio para o *ballet* do mesmo tamanho do palco e muitas outras melhorias acústicas e tecnológicas. Tudo isso pode ser visto num *tour* de 1h15 pelo *backstage* da casa.

Ali perto, fica o outro teatro "real" dos tempos vigiados: o **Drury Lane**. Basta pegar a ruazinha do *LTM*, virar à esquerda na *Tavistock Street,* depois à esquerda de novo na *Catherine Street*. O prédio original, de 1663, também pegou fogo e precisou ser reconstruído. Em 1809, outro incêndio. A construção atual é de 1812 e foi comprado pelo compositor Andrew Lloyd Webber, autor de trilhas de vários musicais de sucesso, como *Cats* e *Jesus Christ Superstar*.

Uma vez nas redondezas, procure pela Wellington Street, no número 45 fica o **London Film Museum**. Fundado em 2008, o museu recebe exposições temporárias dedicadas ao cinema britânico. Mostras de Chaplin e 007 já passaram por ali. Na mesma rua, algumas opções bacanas de restaurantes, como Cicchetti e Café Rouge.

Saindo de *Covent* pela *New Row* e entrando à esquerda na *St. Martin's Lane*, você já vai avistar *Leicester Square* ao fundo. Tudo junto e misturado.

Soundtrack
Bohemian Rhapsody – Queen

Serviço
Covent Garden Market
41, The Market, London WC2E 8RF

London Transport Museum
Covent Garden Piazza
London, WC2E 7BB

Royal Opera House
Bow St., Covent Garden, London
WC2E 9DD
Tel: 020 7240 1200

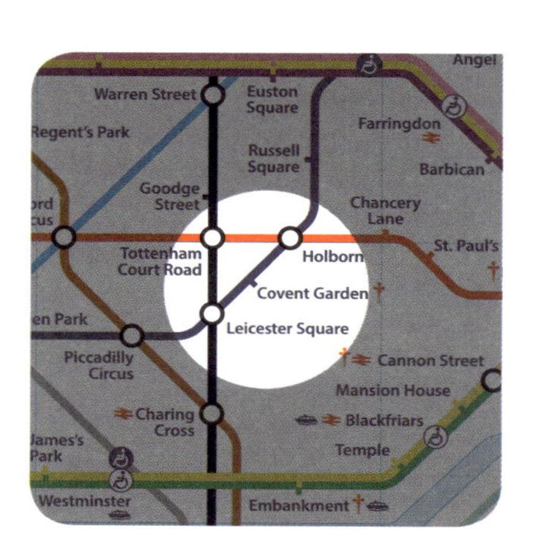

EUSTON

(Victoria line) (Northern Line)
(London Overground)

DESÇA AQUI PARA:
EUSTON RAILWAY STATION
(TRENS PARA LIVERPOOL e MANCHESTER)

PARA OS FÃS DE MÚSICA E FUTEBOL, NADA MAIS JUSTO DO que aproveitar a estada em Londres e passar – nem que seja um mísero dia – em **Liverpool** e/ou **Manchester**. A primeira, por ser a cidade natal dos *Beatles*. Já a segunda, abriga dois gigantes do futebol inglês: os xarás *United* e *City*. E as viagens, de apenas 2 h cada, são feitas a bordo de um trem superconfortável operado pela *Virgin*. São vários horários por dia, dá pra sair de manhã e voltar à noite numa boa; ida e volta por cerca de 75 *pounds*.

Descendo em **Euston** é só seguir as placas indicando *Euston Railway Station*. O que separa a estação de metrô da de trem é uma escada rolante. Os guichês da *Virgin* também são fáceis de encontrar, mas a companhia mantém um balcão de informações bem visível pra qualquer eventualidade. O número da plataforma do trem costuma aparecer no painel luminoso cerca de 15 minutos antes da partida. Comprando a passagem com antecedência via internet dá até pra marcar lugar, mas sempre retirei meu *ticket* cerca de 30 minutos antes e nunca tive problemas, eles separam ao menos dois vagões com assentos livres. Leu *avaliable* no visor que fica logo acima da janela, pode sentar que não tem erro.

Depois de 2h08 de viagem e algumas paradas em cidades menores pelo caminho, o trem chega à estação *Liverpool Lime Street,* bem no centro da

cidade. Se eu tiver de sugerir um roteiro, lá vai: **The Beatles Story (museu e loja)** nas docas, *stadium tour* em **Anfield** (Liverpool FC), passadinha pelo estádio do rival **Everton** e algum *Beatles tour* (de preferência não aquela tradicional do ônibus *Magical Mistery Tour*, e sim a dos *Fab Cabs*). Pra terminar a noite, pit-stop no **Cavern Club** pra curtir um som e tomar um *pint*. E, pra comer um burger honesto e barato, recomendo o bar **Revolution**, ali pertinho, na *Wood St*.

Os **Fab Cabs** são taxistas beatlemaníacos que oferecem *tours* exclusivos com preços e durações diferentes. Eles param o carro na frente de **Strawberry Fields**, por exemplo, pedem pra você descer e tiram uma foto sua numa boa. Um barato. Fora que capricham na trilha: a música vai mudando no som do táxi conforme o itinerário. O roteiro inclui também **Penny Lane**, as casas onde John, Paul, George e Ringo cresceram, o estúdio da primeira gravação feita em 1958 e também o colégio onde estudaram, *Quarry Bank High School*. Daí vem o nome da primeira banda montada por Lennon: *The Quarrymen*.

Sobre o **Cavern**, ok: não é o original, mas quem liga? Fica na mesma *Mathew St.*, faz parte do mesmo conjunto de predinhos geminados e foi totalmente inspirado no outro. Ou seja, a atmosfera está ali. O *Club* original foi inaugurado em 1957 e funcionou até 1973. Foi lá, em 1961, que os Beatles foram vistos pela primeira vez por Brian Epstein, que viria a ser empresário da banda e o resto é história. O que pode ser visitado hoje abriu as portas em 1984, foi erguido com vários tijolos do original que ficava 14 metros distante. A fama do irmão mais velho também foi herdada: *The most famous club in the world*. Por tudo isso e mais um pouco, **Liverpool** ganhou o título de "Capital Europeia da Cultura", em 2008.

This is Anfield. Como eu disse lá em cima, visitar os estádios dão uma encorpada no passeio. O tour no estádio do **Liverpool**, *Anfield*, é bem simpático e interessante, os guias costumam ser bem-humorados e prestativos. A loja oficial é enorme, lotada de produtos de todos os tipos. E antes de passar por *Goodison Park*, estádio do rival que fica pertinho dali, sugiro um almoço no restaurante dos *reds*. Mas aviso: antes de visitar a casa de **Everton**, é bom dar uma conferida no site do clube; nem todo dia o palco da eliminação do Brasil na Copa de 66 apanhando de Portugal está aberto ao público.

E que tal aproveitar o *return*, bilhete de volta pra Londres que pode ser adquirido junto com o de ida por apenas uma libra, e passar também um dia em Manchester? A viagem de trem da cidade dos Beatles até a estação *Manchester Piccadilly* dura só 40 minutos. Mais 10 minutinhos e 5 *pounds* de táxi depois, você estará na entrada do *Etihad*, imponente estádio do **Manchester City**. A loja oficial é gigante e, no segundo andar, estão à venda os ingressos para o *stadium tour*. Mais um táxi baratinho até *Deansgate* e você pode comer uma massinha da melhor qualidade no **San Carlo Cicchetti**. Segundo me contaram no estádio, é o restaurante preferido dos jogadores, "where the players go". Bem em frente, do ou-

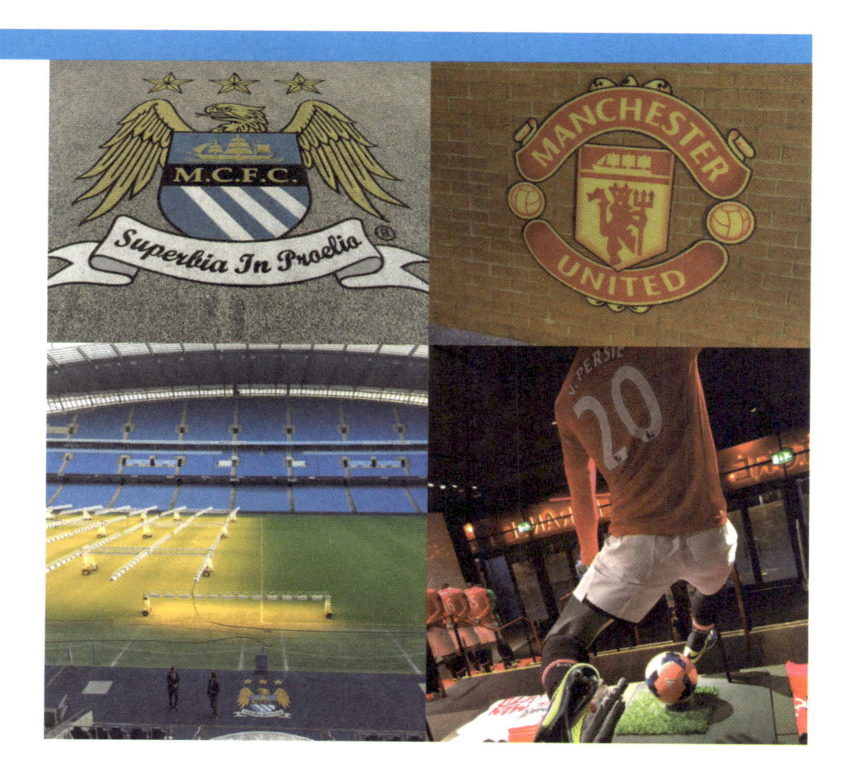

tro lado da rua, está a churrascaria rodízio **Bem Brasil**, caso não resista aos prazeres da carne.

Uma caminhada pelas redondezas pra fazer a digestão e, pimba, outro táxi que não chega a 8 libras vai te deixar em frente ao *Old Trafford*, estádio do *Manchester* mais tradicional, o **United**. Jogadores como Rooney, Giggs, Cristiano Ronaldo, George Best, Beckham e Cantona são deuses lá. Os brasileiros nunca tiveram muito destaque, mas você vai encontrar algumas fotos dos gêmeos Fábio e Rafael pelas paredes. Destaque também para o *Red Café*, bar e restaurante que fica em frente à entrada do museu, de onde aliás sai o *tour* que, claro, desemboca na megastore. Feito isso, é só voltar à *Piccadilly Station* e pegar o próximo trem pra Londres, com o mesmíssimo bilhete *return* usado para o trecho anterior. Chegando a *Euston*, é checar o mapinha ou o aplicativo do celular e pegar o metrô pra sua estação de origem, simples assim.

E aí, convencido a pegar o trem?

Soundtrack

Londres/Liverpool: Rock and roll music (The Beatles)
Liverpool/Manchester: The boy with the thorn in his side (The Smiths)
Manchester/Londres: Go let it out (Oasis)

Serviço

LIVERPOOL

The Beatles Story Albert Dock
Britannia Vaults, Albert Dock, Liverpool, L3 4AD
Tel: (0)151 709 1963
Email: info@beatlesstory.com

Anfield (Estádio Liverpool)
Anfield Rd, Liverpool L4 0TH
Tel: 015 1260 6677

Goodison Park (Estádio Everton)
Goodison Rd, Liverpool, Merseyside L4
Tel: 0871 663 1878

Cavern club
10 Mathew St., Liverpool, Merseyside L2 6RE
Tel: 015 1236 9091

Revolution Bar
18-22 Wood Street
Liverpool, Merseyside L1 4AQ

MANCHESTER

City of Manchester Stadium (Estádio Manchester City/Etihad)
Ashton New Rd., Manchester M11 3FF
Tel: 016 1444 1894

San Carlo Ciccheti (Restaurante italiano)
House of Fraser, 98-116 Deansgate, Manchester M3 2GQ
Tel: 016 1839 2233

Old Trafford (Estádio Manchester United)
Sir Matt Busby Way, Manchester M16 0RA
Tel: 016 1868 8000

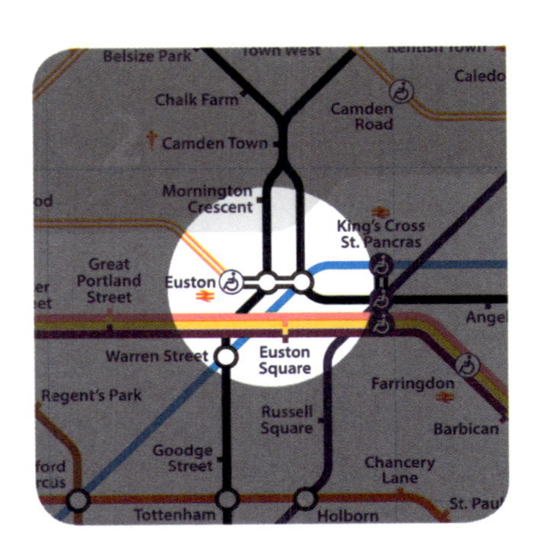

DESÇA AQUI PARA:
STAMFORD BRIDGE
(ESTÁDIO DO CHELSEA FC)

FULHAM BROADWAY

(District Line)

EU SEI QUE PODE PARECER CONFUSO, MAS VOCÊ VAI DESCER numa estação chamada Fulham pra conhecer o estádio do Chelsea. Calma, tem explicação: quando o clube do Chelsea foi fundado, em 1904, o vizinho Fulham já existia havia bons 25 anos. Pensaram em *Stamford Bridge FC, Kensington FC* e até *London* FC. Acabaram optando pelo nome de algum bairro próximo, no caso Chelsea. Mas por pouco os torcedores não estariam gritando "go, KFC!" nas arquibancadas hoje em dia. Piada pronta, né?

O curioso é que o estádio veio antes do clube. **Stamford Bridge** foi inaugurado em 28 de abril de 1877 e, durante seus 28 primeiros anos, foi usado apenas pelo *London Athletic Club* como estádio de atletismo. Até que, em 1896, os irmãos Gus e Joseph Mears compraram a arena e por pouco não venderam o terreno para a *Great Western Railway*, uma companhia de trens que ligava a Inglaterra ao País de Gales. Apesar da tentação do dinheiro garantido, um irmão convenceu ao outro que seria mais interes-

sante e divertido montar um time de futebol. E o resto é história. História que, aliás, começou num *pub* do outro lado da rua.

Se você quiser conferir onde o clube foi fundado, saia pelos fundos do estádio e procure por um lugar chamado **The Butcher's Hook**, bem em frente ao portão. Ali na mesma esquina ficava o *The Rising Pub* onde, em 10 de março de 1905, o *Chelsea Football Club* surgiu. Na mesma calçada, um pouco mais à frente, está o **Café Brasil**. O restaurante/bar funciona desde o início dos anos 1990, serve arroz com feijão e é frequentado por

jogadores e jornalistas brasileiros. Tem foto de colegas da ESPN na parede, pode procurar.

Sobre o *stadium tour*, segue o padrão: guia comentando ao vivo, visita à sala de imprensa, vestiários, campo e arquibancada. Destaque para o humor britânico do *staff*, que passa o tempo todo tirando sarro dos adversários e cravando que o Chelsea é o maior clube do mundo. Até salva de palmas para José Mourinho eles puxam, além de chamar o carrancudo português de "happy one". No museu, fora troféus e uniformes, uma seção que reproduz o vestiário chama atenção: num ambiente real, uma holografia de ex-jogadores lembrando passagens gloriosas impressiona, vale a visita. Como você vai ver mais adiante, essa trucagem foi inspirada no museu de Wimbledon, onde o astro é John McEnroe. Saindo do museu, se jogue na megastore do Clube.

Ainda no "complexo" Stamford Bridge, ficam o restaurante **Frankie's** e o **Millennium Hotel**, onde celebridades de naipe de Novak Djovovic e Maria Sharapova se hospedam quando estão na cidade. O hotel combina locação inusitada, estilo e luxo. São 281 quartos num prédio que realmente "conversa" com a arquitetura do estádio. E bem na frente fica o Frankie's, típico "Sports Bar & Diner" onde a rapaziada se reúne pra ver os jogos nos 12 telões espalhados pelo restaurante que disponibiliza canais de esportes na TV.

Não se limite à loja oficial do Chelsea se for a Stamford Bridge em dia de jogo. As barraquinhas "independentes" que são montadas por ali costumam oferecer produtos interessantes. De cachecóis, "oficiais" ou não, a camisas e outros adereços. As camisetas são, muitas vezes, divertidas. Quando Fernando Torres quebrou longo jejum de gols pelos *Blues*, ali eram vendidos exemplares com frases irônicas do tipo: "Eu vi Fernando Torres marcar um gol pelo Chelsea". Saindo da estação de metrô, você passa por um pequeno shopping com supermercado Sainsbury's, boa opção para um rango rápido e mais barato.

Mauro Cezar Pereira – Jornalista Esportivo - ESPN

Soundtrack
Notorious – Duran Duran

Serviço
Stamford Bridge
Fulham Rd, London SW6 1HS
Tel: 087 1984 1955

The Butcher's Hook (ex-Rising Sun)
477 Fulham Road, SW6 1HL
Tel: 020 7385 4654

Café Brasil
511 Fulham Rd, London SW6 1HH
Tel: 020 7385 2244

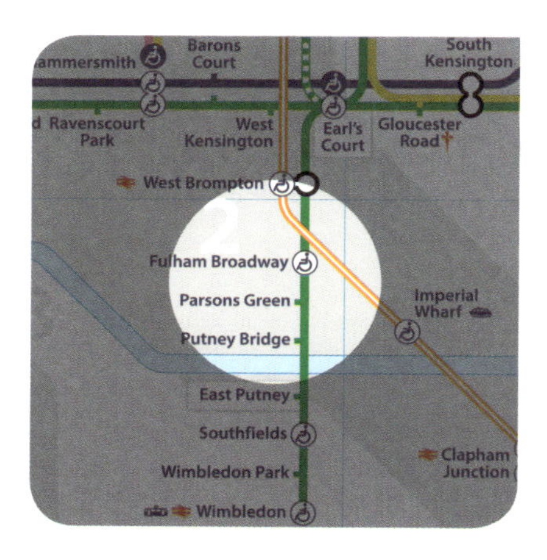

GREEN PARK

(Piccadilly line) (Victoria line)
(Jubilee line)

DESÇA AQUI PARA:
HARD ROCK CAFÉ,
THE RITZ,
BURLINGTON ARCADE e
BUCKINGHAM PALACE

APROVEITANDO QUE UMA DAS SAÍDAS DO METRÔ DESEM-boca dentro do *Green Park*, um dos oito *Royal Parks* de Londres, aproveite pra começar o dia cedo assistindo à famosa *changing of the guard*: a troca de guarda do **Buckingham Palace**, a residência oficial do monarca britânico desde a Era Vitoriana. O palácio é chamado pelo povo de "A Casa da Rainha". E, falando nela, quando Vossa Majestade foi inaugurar a estação em 1969, a máquina de tíquetes rejeitou o dinheiro colocado por Elizabeth II durante a cerimônia. Saia justa real é isso aí.

Construída pelo Duque de Buckingham, em 1703, e reformada pelo arquiteto John Nash, em 1895, a residência abriga 19 Salas de Estado, 52 quartos de dormir principais, 188 acomodações para o pessoal em geral, 92 gabinetes e 78 banheiros. Mas, atenção, *Buckingham* só abre as portas para o público durante o verão londrino, entre agosto e setembro.

E antes de atravessar o parque real para presenciar o vaivém de guardas (que na verdade são soldados de elite do governo britânico), vale dar uma consultada no site, porque a troca acontece em dias alternados sempre entre 11h15 e 12 h. Se estiver chovendo muito, nem vá, o evento é cancelado dependendo das condições climáticas. Outra dica: obedeça prontamente às orientações da *Metropolitan Police*, que coordena o público durante a troca.

Voltando pela mesma trilha e virando à esquerda na *Old Park Lane*, o número 150 abriga o restaurante mais roqueiro da cidade. Apesar de a franquia ser americana, o primeiro **Hard Rock Café** foi o de Londres,

fundado em 14 de junho de 1971 por dois jovens ianques, Isaac Tigrett e Peter Morton.

A locação escolhida, em frente ao *Hyde Park Corner*, era uma loja da *Rolls-Royce*. Aos poucos, os dois sócios começaram a preencher as paredes com tradicional memorabilia roqueira, marca registrada do restaurante que tem hoje mais de 140 unidades em 36 países diferentes. Uma *Fender Lead II*, doada por Eric Clapton em troca de uma mesa fixa na casa, abriu a série em grande estilo. Uma semana depois, Pete Townshend, do Who, mandava uma *Gibson Les Paul* em troca de outra mesa. Hoje em dia, além das doações, o HRC também arremata instrumentos e afins em leilões mundo afora.

Dica: na esquina em frente, fica a loja. As peças clássicas, como a camiseta preta e os bonés pretos com o logotipo, nunca faltam. E fora as novidades, pois sempre tem alguma coisa diferente que vai fazer você deixar umas libras a mais por lá. Mas os verdadeiros tesouros ficam guardados no subsolo, numa espécie de “museu secreto” e com entrada gratuita. Basta você pedir ao gerente ou algum vendedor uma visita guiada pra conferir de perto as raridades.

Ainda tomando a estação *Green Park* como referência, seguindo à direita você vai dar de cara com o hotel **Ritz**, onde reza a lenda é servido “o melhor chá da tarde inglês”. Mas não se anime muito, eles costumam aceitar reservas a partir de um mês pra frente. De qualquer maneira, valem as fotos da icônica fachada ou até uma entradinha, assim como quem não quer nada. Mas cuidado com o *dress code*, se você estiver com esses agasalhos esportivos ou camisa

de time, melhor não passar pela porta giratória do hotel inaugurado em 24 de maio de 1906, no mesmo lugar onde ficava o *Walsingham House Hotel*. O suíço César Ritz, para muitos o “rei da hotelaria”, resolveu levar para Londres a bem-sucedida experiência francesa com o *Hôtel Ritz Paris*, na *Place Vendôme*. Para os cinéfilos, era ali na unidade britânica onde a atriz Anna Scott (Julia Roberts) se hospedava com nome de personagens de desenho animado para fugir da imprensa no filme *Notting Hill*.

Passando o Ritz, no caminho pra Piccadilly Circus, à direita fica a **Burlington Arcade**. É uma típica galeria *vintage* europeia, uma espécie de shopping center do início do século 19; é uma das maiores áreas cobertas de compras na Inglaterra. Foi aberta por Lord George Cavendish, em 1819, para vender joias, roupas e artigos de luxo em geral. Durante a visita, não estranhe as vitrines de época trancadas e com interfone na porta; muitas funcionam

assim, só abrem mediante toque na campainha. E repare também no bedel que fica na porta, vestido a caráter, guardando as entradas da galeria.

Ainda sentido Piccadilly, você vai passar por duas instituições londrinas: **Hatchards** e **Fortnum & Mason**. A primeira é simplesmente a livraria mais antiga da Inglaterra, fundada por John Hatchard, em 1797. Foi comprada por uma gigante do mercado editorial nos anos 1990, a Waterstones, mas preservou a identidade que conquistou três *Royal warrant of appointment*, a chancela de serviços prestados à realeza. A segunda, uma casa de chá e doces também diversas vezes carimbada pela corte e ainda mais antiga, foi fundada em 1707, por William Fortnum e Hugh Mason. Se você quer levar chá de presente pra alguém, o lugar é esse.

Soundtrack
Sex Pistols – God Save the Queen

Serviço
Buckingham Palace
London SW1A 1AA
Tel: 020 7930 4832

Hard Rock Café
150 Old Park Ln, London W1K 1QZ
Tel: 020 7514 1700

The Ritz London
150 Piccadilly, London W1J 9BR
Tel: 020 7493 8181

Burlington Arcade
51 Piccadilly, London W1J 0QJ
Tel: 020 7493 1764

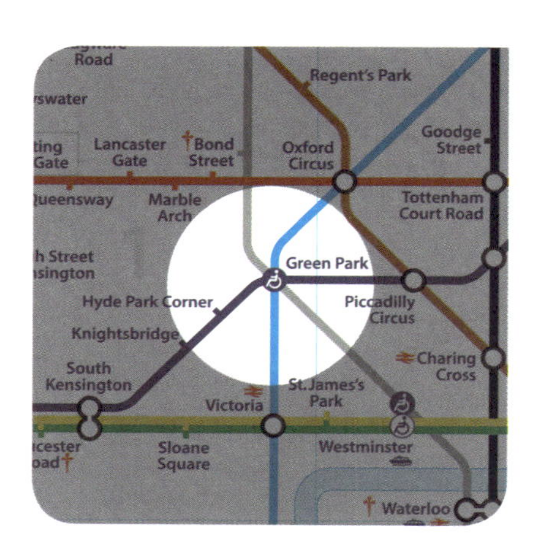

DESÇA AQUI PARA:
HAMPSTEAD HEATH,
KENWOOD HOUSE,
THE SPANIARDS INN e
FREUD MUSEUM

HAMPSTEAD

(Northern line)

HAMPSTEAD HEATH **NÃO É "REAL", COMO TANTOS OUTROS** parques na cidade, mas nem por isso é menos interessante. Fica num dos pontos mais altos de Londres e sua visão é privilegiada. Karl Marx era assíduo frequentador. Aliás, o sociólogo alemão repousa ali perto, em *Highgate*. Agatha Christie, George Orwell e Charles Dickens também moraram nessa região que é ligada às artes e ainda poupada pela maior parte dos turistas. Feita a introdução, vamos ao caminho das pedras, árvores e lagos.

Pegue a *Northern line*, (a preta, mesma linha de *Camden*) respire fundo porque a viagem pode ser longa, dependendo de onde você estiver hospedado, e capriche na *playlist*. Lá chegando, saia da estação e pegue mais fôlego para encarar uma bela e serpenteada ladeira, a *Heath Street*. Prepare-se para cerca de 10 minutos de subida e outros 10 numa reta que parece sem fim. Pra tirar o foco da caminhada, repare no comércio local: livrarias charmosas, lojas descoladas, cafés, restaurantes e vários casarões. A região tem um dos mais altos custos de moradia de Londres e até do mundo, certas mansões podem chegar a 20 milhões de libras.

Siga as placas que indicam o parque e não hesite em perguntar, afinal são muitas trilhas alternativas: para ciclistas, cachorros e cavalos. Uma vez em **Hampstead Heath**, a saber: são 320 hectares com campos de futebol, rúgbi, quadras de tênis, piscinas e muito verde. A área comporta, ao todo, 16 modalidades de esportes. A diversidade é tão grande que a impressão é de

estar visitando vários parques em um. Só lagos, pra você ter uma ideia, são 25. Em três deles é permitido nadar.

De volta à avenida, procure pela *Spaniards Road* e siga as indicações para *Kenwood House*. No caminho, uma surpresa bacana: **The Spaniards Inn**, um dos *pubs* mais antigos da cidade. A antiga taverna, construída em 1585, é tão respeitada que a rua não virou mão-dupla no pedaço: quando um carro passa, o outro espera e libera a passagem, é um de cada vez e fim de papo.

Um pouco à frente, na *Hampstead Lane*, fica a entrada para **Kenwood House**, uma das muitas locações do filme *Um lugar chamado Notting Hill* na cidade. Lembra de quando Hugh Grant (Will) vai visitar Julia Roberts (Anna) num set de filmagem e, via headphone, ouve a amada falando mal dele pra um colega de cena? Iiiii, danou-se. A construção é dos idos de 1600 e foi mudando de dono até que, em 1925, foi doada à nação por Lord Iveagh, membro da família *Guiness* (sim, a da cerveja). O empresário também era colecionador de obras de arte e parte do acervo pode ser visto dentro da casa, incluindo *Rembrandt*. A parte mais legal da história: Lord Guiness comprou a mansão a pedido da comunidade local, pra evitar que a construção fosse vítima da especulação imobiliária. Fez apenas uma

exigência antes de doar o patrimônio ao país: que a casa fosse aberta ao público e que a entrada fosse sempre gratuita. E, desde 1928, é assim.

Hampstead abriga ainda um dos museus alternativos mais bacanas da cidade: o **Freud Museum**. A casa em que Freud e sua família foram morar, a partir de 1938, depois de fugirem do Nazismo. Com a ajuda de um oficial que admirava o seu trabalho, o pai da psicanálise conseguiu reunir toda sua mobília e coleções, e assim foi possível reconstituir o ambiente de trabalho. Ali, no número 20 da *Maresfield Gardens*, estão: o famoso divã, antiguidades egípcias, gregas, romanas e orientais, sua biblioteca pessoal, a cadeira especialmente encomendada pela filha Anna, o Diário e, ainda, um retrato feito por Salvador Dali. Esse, nem Freud explica.

Soundtrack
You Really Got Me – The Kinks

Serviço
Hampstead Heath
Tel: 020 7332 3322

Kenwood House
Hampstead Lane, Hampstead, NW3 7JR
TEL: 020 8348 1286

The Spaniards Inn
Spaniards Road, Hampstead,
London NW3 7JJ
Tel: 020 8731 8406

Freud Museum
20 Maresfield Gardens,
London NW3 5SX
Tel: 020 7435 2002

DESÇA AQUI PARA:
KENSINGTON PALACE, ST. MARY ABBOTS CHURCH e STICKY FINGERS CAFÉ

HIGH STREET KENSINGTON

(Circle line) **(District line)**

ANTES DE QUALQUER COISA, ESTA É A PARADA PARA CONHE-cer o último endereço de Lady Di e o atual do casal real do momento: William e Katie. Foi também no **Palácio de Kensington** onde a cultuada Rainha Victoria foi criada. Agora sim, vamos ao metrô.

A estação, como acontece com algumas do *underground* londrino, desemboca numa galeria cheia de lojas de conveniência: mercadinho, farmácia e afins. Do lado de fora, mais lojas bem convenientes pra quem quer gastar algumas libras sem culpa: *GAP, H&M, Mark & Spencer* e *Zara*. Se você procura equipamentos de informática até áudio, a *Currys* vale a visita. Fica tudo ali, no miolo entre a estação e o palácio. Já ia esquecendo de dar a dica da *Barkers Arcade*, com o maravilhoso *Whole Foods Market*.

Ainda no caminho, virando à direita da estação, como a sinalização na saída vai indicar, do outro lado da rua fica a **St. Mary Abbots Church**, construída em 1872. Na verdade, várias igrejas se revezaram por ali desde 1100. A atual e definitiva possui a torre mais alta de Londres. Isaac Newton, o físico, foi velado ali. Em 1997, o local recebeu uma grande concentração de fãs de Diana quando a notícia sobre o acidente da princesa em Paris foi confirmada. Conforme já foi dito, ela morava ali ao lado.

A Princesa de Gales ocupou o apartamento 8 do **Kensington Palace** desde o dia em que se casou com o Príncipe Charles, em 29 de julho de 1981, até o fatídico 31 de agosto de 1997. O imóvel, construído por volta de 1720,

andava desocupado desde a Segunda Guerra Mundial e foi reformado para o casal real morar.

Mas esse lado residencial do Palácio, claro, é privativo e muito bem guardado. Kensington virou residência real em fins de 1689, quando William III e Mary II adquiriram a *Nottingham House*, mansão construída em 1605. Rei William sofria de asma, e os ares de *Whitehall* não eram indicados. O prédio central foi mantido e blocos, construídos ao longo dos anos. A idolatrada Rainha Victoria nasceu e foi criada ali. Muitos vestidos usados por sua neta, Rainha Elizabeth II, estão expostos nas galerias abertas ao público.

O ingresso inclui o acesso ao palácio e à exposição permanente, *Victoria Revealed*, além da exposição temporária que estiver ocorrendo. Outros destaques ficam para *The Queen's State Apartments*, *The Red Saloon* e também os bem cuidados jardins. Na saída, os cafés The Orangery e Palace são convidativos. Isso sem falar na infalível lojinha, cheia de *souvenirs* só encontrados em Kensington.

De volta à *High Street Kensington*, passe umas três quadras do metrô e vire à direita na *Phillimore Gardens*. Pare no **Sticky Fingers Café** pra devorar um prato ao som de *Rolling Stones*. O restaurante, nos moldes do *Hard Rock*, foi criado em 1989 por Bill Wyman. Baixista original dos Stones, ele deixou a banda em 1994, logo depois da turnê *Steel Wheels/Urban Jungle*. Wyman também já deixou o bar, vendido em meados dos anos 2000, mas ainda tem uma participação nos lucros e usa o espaço para conceder entrevistas eventualmente. A diferença básica pro primo mais velho é que a memorabilia, claro, é toda da banda de Mick Jagger. O lugar é famoso pelos premiados *burgers*, os *steaks* macios, e se gaba de fazer "a melhor costela de Londres".

Em tempo: *Sticky Fingers*, o nono álbum de estúdio dos Stones lançado em 1971, é um disco emblemático. Estão lá faixas clássicas como *Brown Sugar*,

Wild Horses e *Dead Flowers*. Foi a primeira aparição da "língua" que virou marca registrada da banda. E foi também o primeiro a ser lançado pelo então recém-criado selo *Rolling Stones Records*, além de ter promovido a estreia do guitarrista Mick Taylor, que substituía Brian Jones. Está na lista dos 200 álbuns definitivos no *Rock and Roll Hall of Fame*. Antes de pagar a conta peça um café e, claro, adoce com *brown sugar*.

Saindo do bar, volte à rua principal e dobre na primeira à esquerda, a *Earls Court Road*. Siga toda vida até cruzar com a *Logan Place*, à direita. A rua é pequena, ande até aparecer um casarão com muro de tijolo aparente, do lado esquerdo da calçada. Pelos bilhetes jogados por trás das placas de acrílico na fachada, você vai se dar conta: Freddie Mercury morava aí.

It's a kind of magic.

Soundtrack
It's a kind of magic – Queen

Serviço
Kensington Palace
Kensington Gardens, London W8 4PX
Tel: 084 4482 7777

St. Mary Abbots Church
Kensington Church St., London W8 4LA
Tel: 020 7937 5136

Bill Wyman's Sticky Fingers
1a Phillimore Gardens
Kensington
W8 7QB
Tel: 020 7938 5338

KEW GARDENS

(District line)

DESÇA AQUI PARA:
KEW GARDENS

THE ROYAL BOTANIC GARDENS*. TRADUZINDO: *O JARDIM *Botânico Real*. Ou **Kew Gardens** mesmo. Se você é amante da natureza, prepare-se: *Kew* possui a maior coleção de plantas vivas do mundo, são mais de 27 mil espécies. Destaque também para as 14 mil árvores e a coleção de orquídeas que já celebrou 200 anos.

Pra chegar é bem fácil: basta pegar a *District Line* (linha verde) sentido *Richmond* e pronto. Só fique atento porque é zona 3, fora do garrafão, o que encarece um pouquinho o bilhete ou o valor descontado no seu *Oyster*. Curiosidade: *Richmond*, a estação seguinte, abriga o maior parque de Londres.

Da estação, é uma reta só, numa caminhada de 10 minutos, até um dos portões, o *Victoria Gate*. São mais de 120 hectares de área verde. A manutenção dá emprego a mais de 650 funcionários, entre cientistas e *staff* em geral, todos responsáveis pelos mais de 30 mil tipos diferentes de plantas e, também, pelo herbário, um dos maiores do planeta. Tanto que, desde 2003, o jardim botânico é considerado patrimônio mundial pela UNESCO pelo desenvolvimento do paisagismo e pesquisa científica da flora mundial. Para organizar o passeio, conheça as principais atrações:

Palm House

Um verdadeiro palácio de ferro e vidro da era vitoriana, repleto de palmeiras de todos os cantos do mundo. Não deixe de subir as escadas em forma de caracol e apreciar a vista do alto das passarelas. No subterrâneo fica ain-

da o *Marine Aquarium* que recria quatro habitats aquáticos, não custa nada dar uma passadinha. A garotada adora.

Temperate House

A estrutura, erguida em 1860, é a maior "casa de vidro" de arquitetura vitoriana do mundo. E também abriga a maior estufa de Kew, com quase 5 mil metros quadrados. Lá estão espécies da África, Austrália, Nova Zelândia, Ásia e Pacífico. Torça pra que o espaço não esteja fechado para restauração.

Pagoda

Talvez a construção mais famosa de todo o jardim. Praticamente todos os guias de Londres usam alguma foto do prédio de 1762 com 10 andares octagonais no estilo arquitetônico chinês. No centro fica a escada, com 253 degraus. A subida é indigesta, mas a vista compensa.

Kew Palace
Uma espécie de museu dentro do jardim. O palácio ficou famoso por ter servido de residência para o Rei George III, chamado de "madness George" pelos ingleses.

Outros destaques são: **Princess of Wales Conservatory,** estufa com dez zonas climáticas recriadas, foi inaugurada pela Princesa Diana em 1987, e a **Xstrata Treetop Walkway,** uma passarela suspensa a 18 metros de altura no Arboreto, que fica entre a *Temperate House* e o lago, foi projetada pelos mesmos arquitetos do *London Eye*, inaugurada em 2008.

Depois de tudo isso, uma paradinha no **Victoria Plaza Café** cai bem, ainda mais se o bolo de cenoura ainda estiver dando sopa no balcão. Na lojinha anexa dá até pra comprar umas plantinhas.

Soundtrack
Sowing Seeds of Love - Tears for Fears

Serviço
The Royal Botanic Gardens
Kew, Richmond, Surrey TW9 3AB
Tel: 020 8332 5655

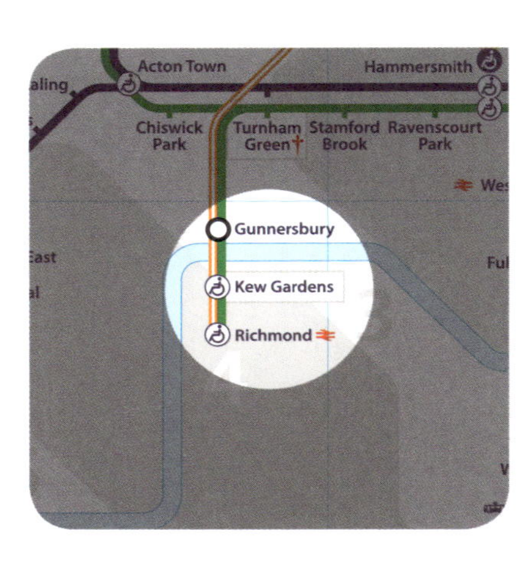

DESÇA AQUI PARA:
PARIS DE TREM e
BRITISH LIBRARY

KING'S CROSS ST. PANCRAS

(Victoria line) (Hammersmith & City line)
(Metropolitan line) (Northern line)
(Piccadilly line) (Circle line)

MUITA GENTE ENTRA NUMAS DE COMPARAR LONDRES À NYC. Eu adoro a *big apple*, as cidades têm até certa pegada parecida, mas costumo responder à brincadeira com uma provocação: a vantagem de Londres é que Paris está a 2 h de trem. *Touché*! Se você vai passar 10 ou mais dias na capital inglesa, não custa separar ao menos um fim de semana pra tirar uma casquinha da cidade luz e saborear um crepe de banana com Nutella ao pé da **Torre Eiffel**.

Recomendo já chegar à estação **King's Cross St. Pancras** com a passagem comprada via internet, de preferência na classe *standard premier* da **Eurostar**, onde as cadeiras são mais confortáveis e uma refeição honesta e completinha é servida. Se o caso for economizar, saiba que a classe *standard* não oferece serviço de bordo e as poltronas lembram as de avião, mais apertadinhas. Mas o que vale mesmo é o destino final, o terminal francês **Gare du Nord**.

Paris tem hotéis de todos os preços e tipos, desde as diárias hollywoodianas de 800 euros até as mais em conta, de 100 euros. Pra uma viagem de tiro curto, **République** é um bairro interessante: a linha 9 (*neuf*) do metrô tem paradas diretas para Champs-Élysses (Franklin Roosevelt), Torre Eiffel (Trocadero), Galerie Lafayette (Chausse D'Antin-Lafayette) e Parce des Princes, onde fica o estádio do PSG. De lá, dá até pra ir a pé pra Roland Garros.

E paris, assim como Londres, precisa de pelo menos duas ou três visitas pra ser explorada com calma. Mas isso não significa que um fim de semana, ou até um dia bem aproveitado, não compense a viagem. Independentemente de onde você estiver hospedado, experimente descer na estação Franklin Roosevelt para umas comprinhas na **Champs-Élysses**; a FNAC e a loja oficial do PSG são tentadoras. No final da gigantesca avenida, que tem 71 metros de largura por 1,9 km de comprimento, fica o **Arco do Triunfo**. Atravesse por baixo, encare a interminável escadinha em espiral e admire a vista da cidade. Lá de cima, você vai ver a **Torre Eiffel**. Desça, prepare-se pra uma caminhada de uns 20 minutos e siga a pé até o maior cartão-postal da capital francesa. Não hesite, encare a fila e suba também. A dica é comprar o ingresso antes pela internet, facilita o acesso. E a torre, construída em 1889, fica às margens do rio Sena. Na descida, pegue o barco cujo ticket vale pra dois dias e visite mais um ou dois pontos turísticos, como a **Catedral de Notredame** ou o **Jardim das Plantas**. Deixe o **Louvre**, que demanda mais tempo, pro dia seguinte. Desça do bateaux de volta na Champs-Élysses, jante em algum restaurante na avenida ou pegue um cineminha por ali. Depois, siga para o metrô.

Mas, se Paris não estiver nos planos, mesmo assim não deixe de ir conhecer a estação, a maior interseção de trilhos do metrô londrino: são seis linhas e duas estações de trem. Para os fãs de Harry Potter, a plataforma 9 ¾, que aparece no filme, fica em King's Cross. Dá até pra tirar uma foto com o carrinho atravessando a parede e, claro, comprar a varinha mágica do bruxo na loja ao lado. Aproveite e passe em frente ao **St. Pancras Renaissance** e admirar a fachada. O hotel, reaberto em 2011, ocupa o lugar do antigo *Midland Grand Hotel*, que funcionou entre 1873 e 1935. Fechou, virou prédio de apoio ao terminal e foi reformado em meados dos anos 2000. O clipe *Wannabe*, das Spice Girls, foi filmado ali.

Seguindo a calçada do hotel, que é uma extensão da estação, você vai dar de cara com a **British Library**, inaugurada em 1973. É a biblioteca nacional da Inglaterra, possui quase 15 milhões de livros no catálogo. Também é considerada a maior fonte de pesquisa pelos ávidos por informação, até pelos 150 milhões de itens de todas as partes do mundo e em vários formatos: jornais, revistas, material audiovisual, mapas, selos, desenhos e manuscritos. Falando nisso, The Sir John Riblat Gallery guarda verdadeiros tesouros: o documento inglês mais antigo, anotações de Leonardo da Vinci, um diapasão que pertenceu a Beethoven e até originais de músicas dos Beatles.

A letra de *Yesterday* escrita de próprio punho por Paul, *A hard days night* que John rabiscou no cartão de aniversário de um ano do filho Julian Lennon, os versos de *Michelle* no verso de um envelope. Fora isso, *Help* e *Ticket to ride*. Em tempo: relaxa que essa exposição é permanente.

Soundtrack
Wannabe – Spice Girls

Serviço
St. Pancras International Station
Euston Road, N1C 4QP
Tel: 020 7843 7688

St. Pancras Renaissance London Hotel
Euston Rd, London NW1 2QR
Tel: 020 7841 3540

British Library
96 Euston Rd, London NW1 2DB
Tel: 843 208 1144

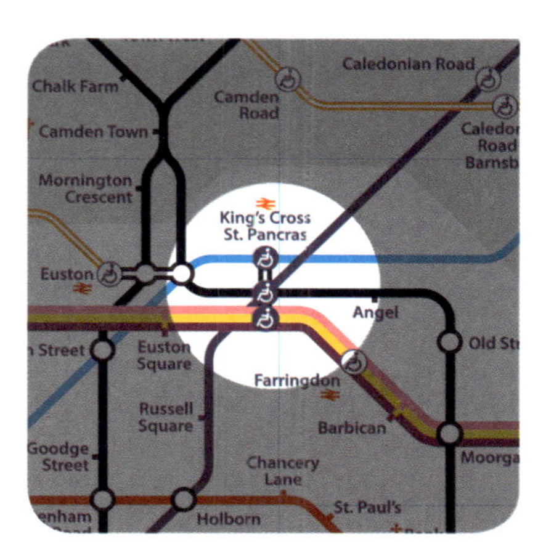

KNIGHTSBRIDGE

DESÇA AQUI PARA:
HARRODS e
HARVEY NICHOLS

(Piccadilly line)

UMA VIAGEM À EUROPA, COMO VOCÊ JÁ DEVE TER OUVIDO falar por aí, não tem as compras como foco principal, ao contrário de algumas cidades dos EUA, como Miami, por exemplo. É o dito passeio cultural, cheio de museus e atrações históricas, construções milenares. Mas, quando o destino é Londres, trate de separar uma quantidade generosa de libras esterlinas ou deixe o cartão de crédito no hotel. A tentação é grande. Ainda mais se você descer na estação *Knightsbridge*, a única com 6 consoantes seguidas no metrô londrino.

Virando à direita, fica a **Harvey Nichols**. Preferindo virar à esquerda e optando por uma caminhada de 5 minutos, o destino é a **Harrods**. As duas lojas de departamentos são enormes, muito antigas e caras. Mas ambas valem a visita, mesmo que você não queira "botar" a mão no bolso. Vai que você tem a sorte de pegar uma temporada de liquidação estilo *boxing day*, né? Nesse caso, paciência: é clima de estádio de futebol, uma multidão digna de *derby* da *premier league* invade as megastores.

A **Harvey**, apesar de um pouco menos badalada, é mais antiga: foi fundada em 1831. Hoje a marca tem outras lojas espalhadas pela Inglaterra e também pelo mundo, inclusive na China. E tem de tudo: moda internacional pra homens e mulheres, acessórios, produtos de beleza e até praça de alimentação. Em meados dos anos 1970, o restaurante

Harvey's foi inaugurado no quinto andar e logo atraiu uma cliente especial e regular: **Princesa Diana** , para quem havia uma mesa reservada nos fundos. Procure pelo The Fifth Floor.

Clientela especial também nunca faltou à **Harrods**: o escritor irlandês **Oscar Wilde** e o pai da Psicanálise, **Sigmund Freud**, eram regulares da casa inaugurada em 1834. A maior loja da capital inglesa tem um lema: *Omnia Omnibus Ubique* – "Todas as coisas, para todas as pessoas, em todo lugar". Mohamed Al-Fayed, pai de Dodi, comprou a loja em

1985 e a vendeu em maio de 2010 para a *Qatar Holding*, que hoje administra o negócio. Mas o memorial ao filho morto em 1997 ainda está lá: além da estátua ao lado de Diana com a inscrição "Innocent Victims", uma espécie de altar com fotos do casal, os copos do jantar da véspera e o anel de noivado que a Princesa usava no dia do acidente que vitimou os dois em Paris. O monumento fica na chamada *Egyptian escalator*, no primeiro piso.

Compras e memórias à parte, o *Food Hall* (praça de alimentação) também faz sucesso. Um verdadeiro mercadão dentro da megastore. Isso sem falar nos diversos restaurantes espalhados pelos andares do prédio, dentre eles, o *Harrods Terrace*, no quarto piso. É a estação das compras, divirta-se e gaste uns *pounds* sem culpa!

Soundtrack
Bittersweet Symphony – The Verve

Serviço
Harrods
87-135 Brompton Road
London · harrods.com
Tel: 020 7730 1234

Harvey Nichols
109-125 Knightsbridge
London SW1X 7RJ
Tel: 084 5604 1888

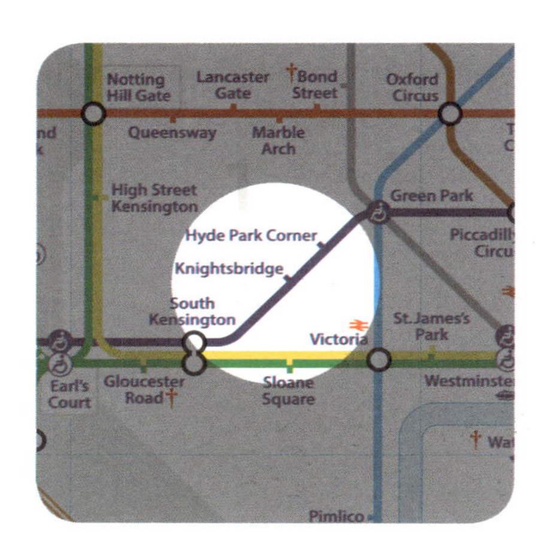

DESÇA AQUI PARA:
CINEMAS DE RUA e
CHINATOWN

LEICESTER SQUARE

(Northern line) (Piccadilly line)

SE VOCÊ SENTE FALTA DOS CINEMAS DE RUA, A PARADA É essa. Se não é do seu tempo, experimente pra ver como é legal não ter que sair do filme pelos fundos da praça de alimentação de algum shopping depois da última sessão. E o metrô vai deixá-lo praticamente na porta de algum dos três que dominam a área: Empire, Vue e Odeon, que tem dois espaços diferentes. No maior, unidade **ODEON** Leicester Square, é onde rolam as badaladas pré-estreias que deixam a praça lotada. Eu já trombei o Leonardo DiCaprio lançando filme ali com *red-carpet* e tudo. O menor é o *West End*, com programação mais alternativa.

Mas o **Empire** também não fica atrás nas premières, vira e mexe tem *blockbuster* hollywoodiano sendo apresentado ao público londrino ali. Topei com o Tarantino divulgando *Django* em 2013, por exemplo. E o espaço é dividido: além de cinema, é cassino. Mas quando abriu as portas, em 1884, era um teatro especializado em óperas e *ballets*. Três anos depois, virou casa de shows. Recebeu o primeiro filme em 1896 e, na década de 1920, foi comprado pela MGM. Foi demolido em 1927, reconstruído e reaberto em 1928, já como cinema. *Limelight* (Luzes da Ribalta/1952) de Chaplin e *Ben Hur* (1959), por exemplo, foram exibidos lá.

Concluindo o roteiro cinematográfico, o **Vue** tem quase 800 salas espalhadas pelo Reino Unido, e 9 delas ficam em *Leicester Square*. Em termos de multiplex, é um dos casos mais bem-sucedidos: segundo o site da empresa,

cerca de 60% da população vive a no máximo 30 minutos de carro de algum cinema da rede.

Escondido ali na Leicester Place, uma das muitas ruelas que levam a Chinatown, fica o **Prince Charles Cinema**. Segundo Uma Thurman disse num vídeo de lançamento de *Kill Bill 2*, "é o cinema preferido de Tarantino na Grã-Bretanha". E isso é fácil de explicar: a sala, além dos lançamentos hollywoodianos, também exibe filmes clássicos. *The Rocky Horror Picture Show* e *Grease* vira e mexe estão em cartaz. Deve ser por isso que a famosa estátua do Charlie Chaplin, que ficava no meio da praça, foi parar justamente em frente ao cinema independente.

E, claro, uma praça com tantos cinemas tem que ter muito lugar pra comer: *Garfunkel's* (fass-tood caprichada), *Chiquito* (mexicano), *Bella Italia*, *All Bar One* (*pub* sofisticado), *Pizza Hut, Burger King, Angus Steakhouse* e o meu preferido, *Muriel's Kitchen*. O jeitão de cozinha de vó é aconchegante e a comida, bem honesta. Mas a salvação da madrugada são os quiosques que vendem uma generosa fatia de *italian pizza* até a 1 h da manhã, coisa rara em Londres. A sobremesa pode ficar pra M&M's World, a maior loja do mundo especializada nas bolinhas doces e coloridas, dá até pra customizar M&M, uma farra.

Na *square* você também vai encontrar um quiosque da **TKTS**, onde dá pra comprar ingressos com desconto no mesmo dia para os musicais em cartaz em West End. Os *tickets* que sobram são vendidos até pela metade

do preço. Comprei assento que normalmente custaria 90 *pounds* por 40 ou 45 libras. Dali para os teatros da *Shaftesbury* é um pulo.

Algumas baladas também ficam por ali, nas ruelas que desembocam perto dos cinemas: *Storm, Rise Superclub, Shadow Bar, Hippodrome, The Imperial, Talented Mr Fox* e por aí vai, dê uma volta se for o caso e tente a sorte. O **Hippodrome** merece umas linhas à parte: fundado em 1900, o imponente prédio é um mix de casino, casa de shows, restaurante e teatro. Nos áureos tempos, o mágico Harry Houdini chegou a se apresentar ali. Assim como Dire Straits, Dionne Warwick e Joss Stone.

Além de cinemas, restaurantes e baladas, *Leicester Square* também é a estação de metrô mais perto de **Chinatown**. Ao norte da praça, fica a quadra onde se concentra o comércio da comunidade asiática na cidade. Para os paulistas, a referência é óbvia: uma espécie de "Liberdade" londrina. São lojas, restaurantes, mercadinhos e até "consultórios" que praticam a milenar medicina chinesa. E o domínio oriental é facilmente reconhecível:

onde as *chinese lanterns* estiverem penduradas costurando as ruas, é "solo chinês" em Londres.

Originalmente, no século 18, a colônia ficava na zona leste da cidade. Pela proximidade das docas, a maioria era habitada por marinheiros que resolviam arriscar a vida em terra firme britânica. Mas, com a Segunda Guerra, o distrito de *Limehouse* ficou parcialmente destruído e os chineses precisaram se instalar em outro bairro. A partir dos anos 1950, a área atual começou a ser ocupada e, lá pela década de 1960, foi ganhando a cara que tem hoje, com os tradicionais portões que demarcam o território e encantam os turistas apaixonados pela cultura oriental. Peça um frango xadrez, se jogue nas lojinhas de cacarecos *made in china* e encare uma sessão de acupuntura se tiver coragem.

Soundtrack
Wild West end – Dire Straits

Serviço
Empire Cinemas
5-6 Leicester Square
Tel: 020 7222 1234
Vue Leicester Square
3 Cranbourn Street
Tel: 0871 224 0240

Odeon Cinema Leicester Square
24-26 Leicester Square, London WC2H 7JY
Tel: 0871 224 4007

Prince Charles Cinema
7 Leicester Pl, London WC2H 7BY
Tel: 020 7494 3654

DESÇA AQUI PARA:
SPITAFIELDS MARKET
e THE TEN BELLS

LIVERPOOL STREET

(Central line) (Hammersmith & City line)
(Metropolitan line) (Circle line)

SE NÃO FOR POR NADA, A ESTAÇÃO EM SI JÁ VALE A VISITA: É enorme, cheia de lojas e movimentadíssima. Fora que o ramal da *Central line*, de 1911, foi o primeiro construído com as escadas rolantes integradas ao projeto. A linha, que foi aberta em 1874 como *Bishopsgate station* e rebatizada em 1909 com o nome atual, conecta o metrô a um dos 18 terminais do *London station group*. De lá, partem trens para *Norwich, Ipswich* e *Cambridge,* por exemplo, além da conexão com o aeroporto de *Stansted*. A saber: o prédio foi atacado pelos alemães em 1917 durante a Primeira Guerra e, às vésperas da Segunda, serviu de porto seguro para cerca de 10 mil crianças de origem judaica. A missão de resgate, chamada *Kindertransport,* inspirou um memorial que fica do lado de fora da estação.

História à parte, vamos às compras. O **Spitafields** é mais um daqueles descolados mercadinhos londrinos e, ao contrário de Camden e Notting Hill, abre todo dia e bomba aos domingos. Fora que é o mais antigo da cidade – está por ali desde 1638 – e fica numa área coberta, o que garante o sucesso da feira até nos dias de chuva, o que em Londres é bem comum. Dá pra dividir o mercado em *Old* e *New*. Saindo do metrô, basta seguir a sinalização. Quando você chegar à *Brushfield Street* e avistar a estátua de um bode (*I Goat*, inaugurada em 2011) em cima de umas caixas com a *Christ Church* ao fundo no final da rua, saiba que está no lugar certo.

O prédio, da era vitoriana, foi construído entre 1885 e 1893. Em 1920, a primeira grande obra de expansão ocorreu e o mercado cresceu, em tamanho e popularidade. Depois de mais uma grande reforma em 2005, que incluiu a recuperação do telhado, o mercado entrou para o *top 5* da cidade. Tem de tudo: camisetas descoladas, artesanatos em couro, barracas de doces, sucos, brechós, bijuterias, móveis, restaurantes e cafés. Fora as opções do lado de dentro, lojas alternativas e de marcas famosas podem ser encontradas na parte de fora. Em tempo: o mercado original, de frutas e legumes, não fica mais ali. Desde 1991, está hospedado em Leyton, nas proximidades do parque olímpico, e foi batizado de *New Spitalfields Market*.

Bem em frente a uma das saídas do prédio que abriga o *market*, de arquitetura victoriana erguido em 1881, fica uma construção bem mais antiga, do ano de 1666 pra ser exato: **The Ten Bells**. O *pub,* famoso pela ligação com os crimes de *Jack – The Ripper*, funciona até hoje na esquina da *Commercial* com a *Fournier Street*.

Mas vamos por partes: reza a lenda ali Jack "recrutou" pelo menos duas das sete vítimas a ele atribuídas entre 1888 e 1891, Annie Chapman e Mary Jane Kelly. A primeira teria saído bêbada do estabelecimento antes de ser abordada pelo assassino. Já a segunda era tida como uma prostituta que trabalhava pela área e, provavelmente, achou que o estripador era mais um cliente como outro qualquer. Estava enganada. Na onda dos crimes, entre 1976 e 1988, o estabelecimento mudou para *The Jack the Ripper*, mas depois de uma longa campanha o nome original voltou; a publicidade de mau gosto foi condenada pela comunidade. No cinema, o *Ten Bells* pode ser visto no filme *From Hell*, de Tim Burton (2001), na cena onde Johnny Depp (na pele do Inspetor Abberline), toma uma bebida com a futura vítima de Jack, Mary Kelly.

O *pub* só serve bebidas, mas o restaurante *Upstairs At The Ten Bells*, tem comida.

Bem ao lado, fica uma das 70 unidades do **Strada**, restaurante italiano bem honesto da rede espalhada pela Inglaterra. O antepasto, com presunto de parma, pães, patê de azeitonas e bruschetta, é caprichado.

Soundtrack
Bring On The Dancing Horses
(Echo & The Bunnymen)

Serviço
Old Spitalfields Market
16 Horner Square, Spitalfields, London
E1 6EW
Tel: 020 7247 8556

The Ten Bells
84 Commercial St., London E1 6LY
Tel: 020 7366 1721

DESÇA AQUI PARA:
BOROUGH MARKET,
TATE MODERN e
THE SHARD

LONDON BRIDGE

(Jubilee line) (Northern line)

A PONTE QUE DÁ NOME À ESTAÇÃO, EM SI, NÃO TEM NADA DE especial. Foi inaugurada em 1973 pra substituir as quatro anteriores que já foram erguidas por ali. Já o metrô, começou a funcionar em 25 de fevereiro de 1900. O mais bacana é atravessar a ponte a pé à noite, vendo a *St. Paul's Cathedral* de um lado e a *Tower Bridge* do outro, ambas iluminadas. Mas o entorno tem seu charme. E muitas atrações.

Seguindo as placas ainda na estação para a *Borough High Street (west side)*, você vai sair na frente do **Borough Market**, uma espécie de "mercadão" londrino. Um paraíso para os grandes *chefs* da capital britânica. A instalação atual é de 1851, mas reza a lenda que quase mil anos antes já existia um mercado de frutas, legumes, verduras, peixes, pães e afins por ali. O que

eles chamam de *full market* funciona de quarta a sábado. Às segundas e terças abre só pro almoço. Mas quem quiser aparar as madeixas enquanto estiver pela cidade, pode aparecer no **Hobbs Barber** até as 18 h dentro do mercado mesmo.

A barbearia centenária, *old school total*, é frescura zero. Chegou, esperou, cortou. O letreiro deixa isso bem claro: *No appointment needed*. Não tem aquelas ajudantes pra lavar a cabeça nem nada, é água borrifada e olhe lá. A atmosfera é pitoresca, meio bagunçada e, por isso mesmo, charmosa. E a decoração, cheia de referências do universo pop, tem um toque retrô bem aconchegante. Mas o melhor de tudo é o corte preciso, rápido e descolado que a dupla Ian e Wayne oferece. E o preço é bem honesto, o famoso "nem barato nem caro". Em tempo: o *barbershop* ganhou 3 estrelas na *Time Out*, aquela revista publicada no mundo inteiro que lista as coisas bacanas de cada cidade.

Saindo do *Borough Market* e contornando o mercadão à esquerda pela *Bedale Street*, você vai passar pelos fundos da citada barbearia e seguir o fluxo. Serpenteando as ruelas, a *Southwark Cathedral* vai aparecer à sua direita. Siga em frente e dê uma paradinha no **Winchester Palace**, na verdade, no que sobrou da antiga residência dos Bispos de Winchester, datada do século 12. Depois, passe pela *Clink Street* e siga o rastro da *Southwark Bridge*. Pronto, agora, você vai fazer uma agradabilíssima caminhada de uns 15 minutos pelas margens do Tâmisa até chegar ao **Tate Modern**, o museu britânico de arte moderna. O acesso também pode ser através da modernosa **Millenium Bridge**, inaugurada em 2002. Nesse trajeto fica ainda um dos *pubs* mais charmosos de Londres, **The Anchor**, fundado em 1822.

No meio do caminho, fica o **Shakespeare's Globe**. O teatro inaugurado em 1997 é uma reconstrução exata do original de 1599, que foi destruído por um incêndio em 1613 e reconstruído em 1614. Até que, em 1644, foi demolido de vez. O nome, claro, vem da quantidade de espetáculos de Shakespeare encenados no antepassado do século 16. Pra conhecer o espaço você pode fazer um *tour* ou, simplesmente, ver alguma peça que esteja em cartaz.

O **Tate Modern**, na verdade, hoje em dia é mais um grupo que engloba vários museus e galerias. Estão nessa a Tate Britain (antiga Tate Gallery), a Tate Liverpool, a Tate St. Ives e a Tate Online, do grupo atualmente conhecido simplesmente como Tate.

O museu ocupa o lugar da antiga central elétrica de *Bankside*. A usina foi desativada em 1981 e a instalação foi transformada em diversas

galerias. Inaugurado em 2000, o *Tate* é gratuito, mas algumas mostras temporárias são pagas à parte, como é comum a outros museus de Londres. Na coleção permanente estão algumas importantes obras de Picasso, Matisse e Chagall.

Agora vamos ao *Shard London Bridge*, mais conhecido como **The Shard**, que eu deixei por último, mas você pode fazer antes ou mesmo nem subir; muita gente se contenta em ver de fora e tirar umas fotos. Até porque é impossível não ver o prédio mais alto da Europa, com mais de 310 metros. Assim que você sair da estação do metrô, ele vai aparecer cortando o céu da cidade. O edifício em forma de pirâmide com 72 andares substituiu outro,

construído em 1975 e demolido em 2008, chamado de *Southwark Towers*, que tinha "apenas" 25 andares.

Os escritórios ocupam 25 andares, do 3º ao 28º. Some aí mais uns 3 andares de restaurantes, 18 de hotel e outros 12 residenciais. Do 68º ao 72º fica o que chamam de *View from the Shard*. É a vista propriamente dita, o ponto mais alto do prédio. Isso porque, do 73º ao 87º, são apenas as lâminas arranhando o céu e nada mais. Os cacos de vidro gigantes que se confundem com a paisagem. Pra subir, tem que pagar. Os preços e horários estão no site oficial. De volta ao metrô, pare no número 77 da Borough High Street, onde fica o *pub* **The George Inn** desde o século 17.

Soundtrack
The Great Gig in the Sky – Pink Floyd

Serviço
The Shard
96 Tooley St., London SE1 2TH
Tel: 020 7407 9555

Tate Modern
Bankside, London SE1 9TG
Tel: 020 7887 8888

Shakespeare's Globe
1 New Globe Walk, Bankside,
London SE1 9DT
Tel: 020 7902 1400

Borough Market
8 Southwark St., London SE1 1TL
Tel: 020 7407 1002

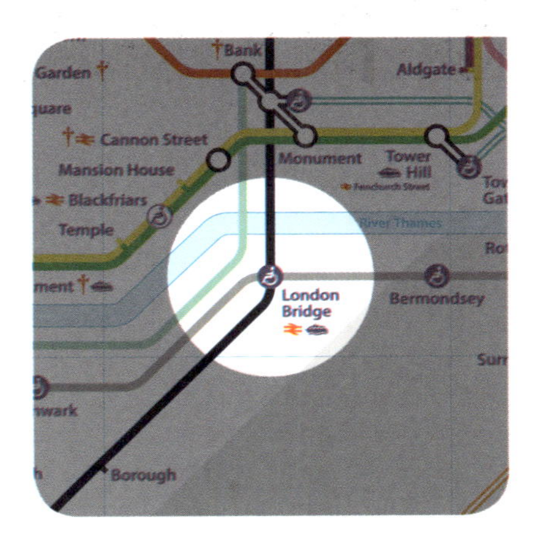

MARBLE ARCH

(Central line)

DESÇA AQUI PARA:
MARBLE ARCH e HYDE PARK CORNER

AINDA NA ESTAÇÃO, SIGA A PLACA DE *WAY OUT* QUE INDICA A *exit 3*. Pronto, você vai dar de cara com o **Marble Arch**, mais uma obra assinada por John Nash levemente inspirada no *Arco di Costantino*, de Roma. O arco em si não tem nada demais além da óbvia beleza arquitetônica, não é como o do Triunfo em Paris, que dá pra subir e tal. O interessante mesmo, além da estrutura gigantesca de mármore, é a história: o arco, originalmente, não pertencia à praça; foi concebido para ser a entrada do *Buckingham Palace*, em 1828. E lá ficou até 1847, quando o palácio precisou ser expandido porque a família real precisava de mais espaço.

Já em 1851, o arco foi desmantelado e reconstruído onde se encontra até hoje, na praça inaugurada em 1820. Bem antes disso, entre 1196 e 1783, o local se chamava *Tyburn Tree* e era famoso por sediar os enforcamentos de ladrões, assassinos e traidores. Milhares de homens e mulheres foram executados ao lon-

go de 600 anos. Mas a prática não foi extinta na época, só mudou de endereço porque a multidão que lotava o espaço público às segundas começou a atrapalhar o movimento da Oxford Street, que já despontava como polo *fashion* de Londres.

Já fora da praça, na pequena ilha de concreto em meio à junção entre Edgware Road, Marble Arch e Oxford Street, fica uma pedra encravada no chão que marca o local exato da estrutura que sustentava as forcas. Ali perto, à direita da tal "ilha", estando de frente para o arco, em 1901 foi fundado

o **Tyburn Convent**, onde fica o "Santuário dos Mártires" em homenagem aos mais de 350 católicos ali executados nos tempos da Inquisição.

Voltando à mesma praça, não tem como não ver a "cara de cavalo". Ou melhor, a escultura assinada pelo artista britânico, Nic Fiddian-Green, que se chama *Still Water*. O monumento de bronze é até recente, está ali intrigando turistas desde 2009, quando o local passou por uma milionária e até questionada reforma. Ali pelos arredores, só que do outro lado da rua, está o **Odeon**, maior cinema do país construído no pós-guerra. O prédio, que hoje ocupa quase uma quadra inteira, foi inaugurado em 1967, pois a sala original de 1945 foi demolida em 1964 depois de anos de uso negligenciado. Desde 1996, a gigantesca tela que exibia filmes em 70 mm (o normal é a metade disso, 35 mm) foi dividida em 5 salas, virou multiplex. É bom dizer que antes mesmo de o *Odeon* chegar o pedaço já cheirava a pipoca; desde 1928, o *Regal* exibia ali as películas de Al Jolson e cia.

Atravessando a rua sentido *Park Lane*, está o famoso **Hyde Park**. O parque, adquirido em 1536 pelo rei Henrique VIII, só foi aberto ao público em 1637. Desde então, os londrinos usam e abusam de uma das maiores áreas verdes da cidade. E os artistas, idem: Rolling Stones, Queen, Red Hot Chili Peppers, Bon Jovi, Foo Fighters e incontáveis outros já se apresentaram no local. Só no *Live 8*, em 2005, Paul McCartney, U2, Mariah Carey, Madonna, Robbie Williams e The Killers fizeram um som por ali.

Falando do *corner* especificamente, o canto noroeste do parque real é famoso pelos oradores que sobem no caixote pra discursar sobre qualquer assunto, principalmente de cunho religioso. Só não vale falar mal da Família Real ou do governo, apesar de a tradição do **Speaker's Corner** dizer que se os pregadores "não tocarem o solo" estão isentos das leis. Por via das dúvidas, todo mundo leva uma escadinha. Entre os corneteiros famosos, passaram por ali: Karl Marx, Vladimir Lenin e George Orwell.

Já no *corner* sudoeste do parque, fica a **Diana Memorial Fountain**, inaugurada em 6 de julho de 2004 pela Rainha Elizabeth II. A fonte, que contém 545 peças de um granito especial trazido do condado de Cornwall, simboliza a transparência da Princesa, o astral dela e seu amor pelas crianças. O projeto, assinado pelo artista americano Kathryn Gustafson, custou 6 milhões de libras.

Soundtrack
Holding Back the Years – Simply red

Serviço
Speakers' Corner
Marble Arch, Hyde Park, London W2 2EU
Tel: 7533 098035

Tyburn Convent
8-9 Hyde Park Pl, London W2 2LJ
Tel: 20 7723 7262

Odeon Marble Arch
10 Edgware Rd, Marble Arch, London
W2 2EN
Tel: 871 224 4007

MARYLEBONE

(Bakerloo)

DESÇA AQUI PARA:
LOCAÇÃO A HARD DAY'S NIGHT e LONDON BEATLES WALKS

FOI ABERTA EM 1899 COMO TERMINAL DE TREM. A ESTAÇÃO de metrô só apareceu em 1907 como *Great Central* e, em 1917, finalmente virou *Marylebone*. Mas entrou para história em 1964, quando os Beatles filmaram lá várias cenas do longa de estreia da banda, **A Hard Day's Night**.

De cara, pelo menos três delas são facilmente identificáveis: a cena de abertura, quando os *fab four* aparecem correndo das fãs pela *Boston Place*, rua lateral da estação. Logo depois, John, Paul, George e Ringo entram em **Marylebone** pelo lado norte da estação, em frente ao *The Landmark London*, hotel 5 estrelas na *Marylebone Road*. Essa locação é fácil de ser identificada pela cobertura de vidro que liga o antigo *Great Central Hotel* ao terminal. Uma vez na parte de dentro, os garotos de Liverpool despistam a multidão histérica se enfiando em três cabines telefônicas que já não estão mais no local. A dica é entrar na loja da *Marks & Spencer Simply Food*, uma espécie de mercadinho, e procurar a parte de frios perto da janela. Bem no canto, na junção das paredes, ficavam os telefones públicos na época.

E, não por acaso, *Marylebone* é o ponto de encontro para o famoso **London Beatles Walks** criado pelo beatlemaníaco Richard Porter. Basta conferir as indicações no site e aparecer na estação na hora marcada, geralmente por volta de 11 h da manhã. Dali, Richard reúne o grupo,

recebe o pagamento na hora e sai a pé pela cidade apontando endereços emblemáticos: o cartório onde Paul e Ringo casaram com as respectivas esposas, o apartamento de Ringo no qual John e Yoko moraram, a casa em que Paul viveu com Jane Asher e escreveu *Yesterday*, a esquina onde ficava a malfadada loja da Apple e, claro, visitinha à Abbey Road pra terminar o passeio em grande estilo atravessando a faixa de pedestres mais famosa do planeta.

Porter libera o grupo depois da visita ao estúdio e indica que o metrô mais próximo é o número 34 deste guia, *St. John's Wood*. Lá eu explico como ir direto ao ponto sem ter que fazer o *Beatles Walk* caso o estimado viajante não queira fazer a via-crúcis completa. De qualquer maneira, na estação fica o *Beatles Coffee Shop*, onde você pode se esquentar tomando um cappuccino e ainda comprar umas lembrancinhas dos *fab four*: tem camiseta, caneca, mochila, ímãs de geladeira e outras coisinhas. Lá também vende o *Guide To The Beatles London*, livro escrito por Porter com os roteiros feitos por ele. A publicação, já na terceira edição, traz ainda histórias de bastidores e fotos raras do quarteto de Liverpool.

Richard promove ainda outro *tour*, o *Magical Mystery Tour*, que sai da estação *Tottenham Court Road* e também deságua em Abbey Road. Mas, se eu tiver que sugerir um deles, fico com o descrito aqui no capítulo, que aliás se chama *In My Life*.

Soundtrack

A Hard Day's Night – The Beatles

Serviço

Marylebone Underground Station
Harewood Row, Greater London
Tel: 843 222 1234

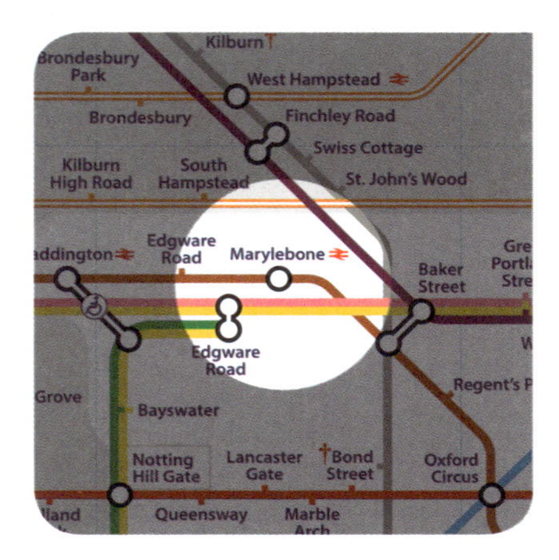

DESÇA AQUI PARA:
THE O2 ARENA
e BRITISH MUSIC EXPERIENCE

NORTH GREENWICH

(Jubilee line)

A ARENA QUE FICOU FAMOSA PELO SHOW QUE NÃO ACONteceu. Daria pra definir assim a **O2**, mas seria uma injustiça. Afinal, é um dos maiores espaços de evento da Europa: dentro, caberiam 12 campos de futebol ou 72 quadras de tênis. A arena funciona desde 2007, no mesmo lugar do *Millennium Dome*, espaço construído para abrigar uma exposição que festejou a virada do milênio.

Sobre o tal show que não existiu, vamos lá: entre julho de 2009 e março de 2010, o espaço estava reservado para a volta triunfal de **Michael Jackson** aos palcos depois de anos de reclusão e aparições bizarras. Seria a derradeira turnê do cantor e todas as 50 datas estavam esgotadas. Mas, apenas três semanas antes da estreia, MJ não resistiu ao ritmo alucinante de ensaios e ao pesado coquetel de remédios para todos os males. *This is it*.

Voltando à arena que fica praticamente colada à estação de *North Greenwich*, quando resolveram transformar o antigo *Dome* em casa permanente de shows, o engenheiro de som do U2 foi contratado pra assinar o projeto. Joe O'Herlihy trabalhou com especialistas em acústica pra resolver os problemas de eco muito comuns nesse tipo de espaço e deu certo: onde

quer que você esteja sentado, em qualquer um dos 23 mil lugares, o som é perfeito. Um CD.

Hoje, a O2 é considerada a arena mais ocupada do mundo, com mais eventos. Por isso mesmo convém você se programar com antecedência caso queira ver algum show por lá. Basta uma espiada no site, escolher a data e comprar. Imprima o comprovante e passe no box office pra retirar o ingresso. Chegando com umas 3 h de antecedência dá pra fazer isso, comer um burger no **Byron** e ainda visitar o museu da MPB: Música Popular Britânica.

O complexo O2 conta ainda com restaurantes, 11 salas de cinema e um espaço multiuso para eventos que já abrigou o **British Music Experience** e uma exposição sobre **Elvis Presley**. Você pode aproveitar o passeio pra andar de teleférico: o bondinho, **Emirates Air Line**. Inaugurado em 2012, cruza o rio Tâmisa a uma altura de 90 metros num trajeto que dura 10 minutos. Ótima oportunidade pra você caprichar nas fotos.

Soundtrack
Karma Chameleon – Boy George

Serviço
The O2
Peninsula Square, London SE10 0DX
Tel: 020 8463 2000

British Music Experience
The O2 Bubble, Peninsula Square,
London, North Greenwich SE10 0DX
Tel: 020 8463 2000

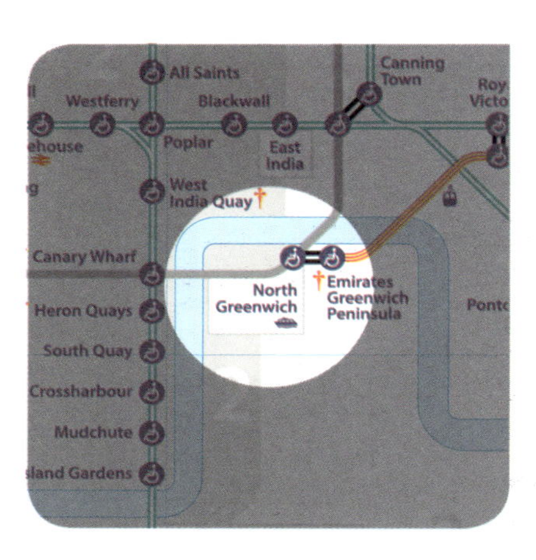

DESÇA AQUI PARA:
PORTOBELLO ROAD MARKET,
ELETRIC CINEMA e
ARANCINA PIZZERIA

NOTTING HILL GATE

(Central line) (District line)
(Circle line)

A COISA MAIS NORMAL DO MUNDO É DESCER DO METRÔ e sair procurando as locações do filme *Um lugar chamado Notting Hill*, 1999, onde a estrela de Hollywood vivida por Julia Roberts se apaixona pelo personagem de Hugh Grant, que interpreta o dono de uma livraria especializada em livros de viagem que fica justamente em *Portobello Road*. Bancar o turistão nessa hora, principalmente se você gosta de cinema e comédias românticas, é inevitável.

Saia da estação pela *exit 3 (north side)* e vire à direita na *Pembridge Road*, onde na esquina fica o *Recipease*, restaurante do Jamie Oliver. Siga mais um pouco e, aí sim, entre à esquerda na *Portobello*. Faça a tradicional foto da placa com o nome da rua e ande um pouquinho, o trecho das lojas vai aparecer mais cedo ou mais tarde. Enquanto isso, aprecie a arquitetura e curta o astral do bairro.

Boa parte do longa se passa na rua que, aos sábados, abriga um mercado tão tradicional quanto descolado. A feira, que em meados do século 16 comercializava basicamente ervas e cavalos, hoje é mais conhecida pelas barraquinhas de antiguidades e roupas de segunda mão, um verdadeiro brechó ao ar livre. As lojas, charmosas e bem coloridas, são uma atração à parte. Mas não se deprima: *The Travel Book Co.*, a famosa livraria que inspirou a do filme, fechou as portas em 2011 depois de mais de 30 anos funcionando no número 13-15 da *Blenheim Crescent* e deu lugar a outra que manteve as

características: *The Notting Hill Bookshop.* Mas o estabelecimento vende livros desde 1891; o interior e a fachada foram mantidos.

Atenção: as cenas não foram rodadas lá, o estabelecimento serviu apenas de modelo para o roteirista Richard Curtis. Se você fizer questão de tirar uma foto na fachada que aparece na película, vá até o número 142 da *Portobello Road* e dê de cara com uma loja de sapatos chamada... Notting Hill!

Já a famosa *blue door*, a porta da casa onde Anna Scott (Julia Roberts) é flagrada pelos paparazzi, foi leiloada e o dinheiro destinado à caridade. A casa ainda está lá, mas a tal porta – que já nem é mais a original – mudou de cor umas 200 vezes. Se durante a sua visita ao número 280 da *Westbourne*

Park Road ela estiver azul, vale um clique na pose do irlandês maluco do filme, brilhantemente interpretado por Rhys Ifans.

Se tiver tempo e conseguir ingresso, não deixe de assistir a um filme no **Eletric Cinema**, hoje administrado pela *Soho House*. Inaugurado em 1910, a área da bilheteria e do *foyer* ainda mantém o tradicional chão de azulejos. Fora as cadeiras forradas em couro, com pequenos abajures nas mesinhas acopladas e os inacreditáveis sofás que ficam na primeira e última filas. Ver um filme no *Eletric* é voltar no tempo, programa obrigatório para os cinéfi-

los de plantão. Principalmente se você, como eu, sente saudade das salas de rua, coisa rara em tempos de multiplex em shopping centers. E a programação é bem variada: na seção *What's on* do site cabe de tudo, dos *blockbusters* aos filmes de arte. Na pior das hipóteses, entre nem que seja pra conhecer a sala, você vai ficar de queixo caído.

E se a sua visita for em agosto, separe a fantasia: *Yes, they have samba!* Ou quase isso. O **Notting Hill Carnival** é um evento anual que entrou pro calendário da cidade em 1966 e dura três dias do mês: o feriado bancário propriamente dito e os dois dias que antecedem à efeméride. Cerca de um milhão de pessoas prestigiam a folia londrina que já é considerada uma das maiores festas de rua do mundo, só perde pra nossa. Na verdade, tudo começou no fim dos anos 1950, quando a jornalista e ativista política Claudia

Jones sugeriu que a comunidade negra britânica organizasse uma festa em resposta aos ataques raciais que tomavam conta da cidade.

Lugar legal pra comer é o que não falta no bairro. Mas um em especial me chamou atenção: **Arancina**, *The Traditional Sicilian Pizzeria*. Massimo, Michele e Edoardo, integrantes da família Mortari, resolveram abrir um café/restaurante em sua cidade natal, Roma. Mas resolveram levar as receitas secretas da *nonna* para Londres e são massas das boas. *Detto, fatto!* O tradicional bolinho de arroz italiano deu nome ao estabelecimento, aberto em 2006.

São cerca de 20 sabores de pizzas, de tamanhos e formas diferentes, com italianos servindo as iguarias. O atendimento é ótimo, a comida é boa e o lugar, rústico e aconchegante. Não deixe de pedir o legítimo *italian coffee* no final da comilança, principalmente se você estiver cansado do aguado *americano* servido nos *cafés* da cidade.

Soundtrack
She – Elvis Costello

Serviço
The Travel Bookshop (locação do filme)
142 Portobello Road

Arancina
19 Pembridge Rd
Tel: 020 7221 7776

Electric Cinema
191 Portobello Road
Tel: 020 7908 9696

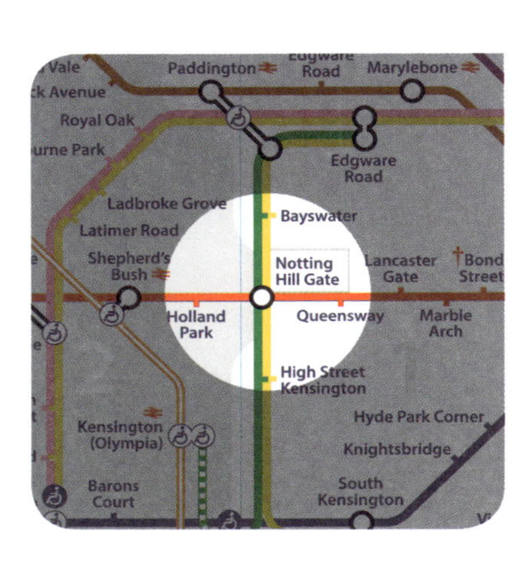

OLD STREET

(Northern Line)

DESÇA AQUI PARA:
FIFTEEN,
ROADTRIP, 333
MOTHER e
HOXTON SAQUARE

A OLD STREET FAZ JUS AO NOME, FOI INAUGURADA EM 1901, portanto, é centenária com folga. Foi praticamente reconstruída nos anos 1920 e passou por uma grande reforma no fim da década de 1960. Mas o registro, aqui no guia, vale principalmente por uma obra concluída em 2002, ano de inauguração do restaurante **Jamie Oliver's Fifteen**.

Jamie Oliver já era um *chef* badalado em Londres por conta dos programas de TV e dos livros de culinária quando resolveu abrir um restaurante descolado que, por tabela, também dava oportunidade a jovens adultos que tiveram a infância marcada pelos mais diversos problemas sociais: desde uso de drogas até ficha na polícia. Sim, dá pra dizer que o *Fifteen* é uma espécie de centro de recuperação e inclusão disfarçado de bistrô londrino.

"Fifteen represents the way I would have loved to have been taught myself; it embraces many of the things I love and feel passionate about, not only in the catering industry but also in friendship and family life."

Jamie Oliver

Todo ano, o restaurante recruta jovens entre 18 e 24 anos, desempregados e sem especialização alguma, e os transforma em *chefs* depois de um ano de curso. O *Apprentice Programme* é um programa de aprendizado desenvolvido por Jamie e sua equipe.

Atenção às coordenadas: desça do metrô e pegue a *Subway 4*. Passe o hospital de olhos *Moorfields Eye* à esquerda, siga em frente até vislumbrar uma espécie de antiquário de luminárias chamado *Renaissance* do outro lado da rua, na esquina da *Westland Place*. Atravesse, entre à direita e pimba, você já vai ver *Jamie Oliver's Fifteen* ali, num bequinho. O serviço é bom, o *staff* é atencioso e o melhor: mesmo tendo grife, ao contrário do Brasil, os preços são bem razoáveis.

Depois do jantar, se jogue na famosa noite de *East London* pra fazer a digestão. Voltando pela Old Street e passando a estação, ande até o número 243 e pronto: você chegou ao **Roadtrip**. Bar, restaurante e com música ao vivo no piso de baixo. A comida é boa, eu curto o Roadtrip Beef Burger, mas peço pra tirar quase tudo e colocar queijo. Aos finais de semana, como é praxe em muitos *pubs* da cidade, eles servem o clássico Full English Breakfast. O banheiro é um sarro, são três portas: Sid, Nancy e Larrys. Think. Um pouco mais adiante, mais precisamente no número 333, fica uma balada bem famosinha na área, o **333 Mother**. O lugar é meio *pub*, meio danceteria

com DJs "hypados" fazendo a trilha eletrônica da noite. Tem ainda o *Mother Live*, uma espécie de porão com espaço pra shows ao vivo. Reza a lenda que o lugar é famoso pela bebida baratinha, servida em copos de plástico. Rola jogar uma sinuca também.

Bem atrás do Mother, voltando pela Old Street, entre à direita na Rufus Street. Você vai passar pelo The Breakfast Club, lanchonete inspirada nos anos de 1980 e no filme homônimo, e chegar à **Hoxton Square**. A praça, bem agradável e tranquila à tarde, é lotada de bares e ferve à noite. Pra citar três, anote aí: Byron, Red Dog e **Zigfrid von Underbelly**. Também no esquema Bar com DJ, restaurante e som ao vivo, a filosofia da casa é "free your mind and your ass will follow". Então tá, vamos nessa!

Soundtrack

Enjoy the Silence – Depeche Mode

Serviço

Jamie Oliver's Fifteen
15 Westland Pl, London N1 7LP
Tel: 020 3375 1515

333 Mother Bar
333 Old St., London EC1V 9LE
Tel: 020 7739 5949

Roadtrip
243 Old St., London EC1V 9EY
Tel: 020 7253 6787

Zigfrid von Underbelly
11 Hoxton Square, London N1 6NU
Tel: 020 7613 1988

DESÇA AQUI PARA:
OXFORD e
REGENT STREET

OXFORD CIRCUS

(Central line) **(Victoria line)**
(Bakerloo line)

SAINDO DA ESTAÇÃO, UMA DAS MAIS MOVIMENTADAS DO metrô londrino, você vai estar no olho do furacão. Bem no entroncamento de duas das maiores ruas de compras de Londres: **Oxford** e **Regent Street**. Mas, calma, não saia gastando alucinadamente ainda. As opções são muitas, dê uma bela volta antes de sacar o cartão de crédito da carteira.

Vamos começar pela rua que dá nome à estação que leva a assinatura clássica Leslie Green: **Oxford Street**. O nome vem da antiga estrada que ligava Londres a Oxford, cidade que fica a 90 km da capital britânica. Já o *Circus* vem do *Regent Circus*, que funcionou ali até o fim do século 19. Dito isso, vamos à vaca fria e consumista.

Numa ponta da Oxford Street fica a *Tottenham Court Road*; na outra, *Marble Arch*. No meio, quase 300 lojas sedutoras e convidativas pra todos os gostos e bolsos. A **Primark**, por exemplo, tem uma unidade em cada ponta. A original fica em Dublin, na Irlanda, inaugurada em 1969, e utiliza o nome Penneys. Mas a de Londres veio logo depois, já em 1973. Os preços são bem convidativos, sabendo garimpar dá pra sair com a sacola cheia de coisas bacanas sem esvaziar muito a carteira.

Lojas de departamentos, então, são várias: tem a gigantesca **Debenhams**, a **John Lewis** com seus famosos seis andares e a **Selfridges**, que funciona desde 1909. Para os fãs de esportes, recomendo a **Soccer Scene**, há mais de 30 anos no mercado da bola. Um dos donos me disse que o nome "americanizado" é por conta da clientela vinda dos EUA assim que a loja abriu. E se você procura CDs, DVDs e afins, a pedida é a **HMV**.

Voltando ao ponto de partida, à estação em si, vamos à **Regent Street**. A rua, projetada pelo arquiteto John Nash em 1825, começa lá em Piccadilly Circus e termina na **All Souls Church**. A igreja, também obra de John Nash, é a cereja do bolo do projeto arquitetônico da época e o único prédio original ainda de pé. Isso apesar do bombardeio sofrido em 8 de dezembro de 1940, durante a Segunda Guerra. O templo ficou anos inutilizado e só foi reabrir em 1951. Depois de outra grande reforma nos anos 1970, segue recebendo os fiéis. Bem atrás, fica a sede da *British Broadcasting Corporation*, ou simplesmente **BBC**.

O prédio antigo em estilo *art déco*, chamado *Broadcasting House*, está ali desde 1932 abrigando a rádio e o teatro onde muitos programas eram feitos e hoje sedia musicais da emissora. O prédio anexo, ligado ao original por uma estrutura de vidro em forma de U, que simboliza a transparência do grupo, foi inaugurado pela Rainha no dia 7 de junho de 2013. Desde então, lá funciona o *Television Centre*, com a famosa redação da *BBC News* e todo o jornalismo da emissora. A *newsroom*, inclusive, é a maior da Europa. Até outro dia era a do mundo, mas uma emissora chinesa desbancou a inglesa. A antiga sede, perto do estádio do *Queens Park Rangers*, foi desativada e vendida. O prédio está tombado e não pode ser demolido, mas o canal deve manter dois ou três estúdios por lá. A boa notícia é que dá pra fazer um *tour* de aproximadamente 1h30 pelo complexo, basta fazer a reserva no site da emissora. Os guias são divertidos, informados e rola uma interatividade bem interessante.

Falando de compras, a Regent Street é uma farra. Alguns exemplos: *Nespresso, Lacoste, GAP, Timberland, Tommy Hilfiger, Burberry, Longchamp, Benneton, Calvin Klein, Guess, Hackett, Superdry* e outras, muitas outras. Menção honrosa para a **Hamleys**, a loja de brinquedos mais tradicional da Inglaterra e uma das maiores do mundo. A unidade

da **Apple Store** no *Regent House* (ver indicação na porta) é a primeira da Europa, foi inaugurada em 2004. O prédio, construído entre 1893 e 1898, foi o primeiro a substituir os originais de John Nash na rua. Antes da revitalização geral, que terminou em 1927, ali ficava a *Hanover Chapel*.

No mais, via Regent Street rola um acesso fácil e bem sinalizado à outra rua de compras menor, mas também muito badalada, a **Carnaby Street**. Era a mola-mestra da chamada *Swinging London* dos anos 1960, época em que a cidade ditava moda, música, artes e comportamento para todos os cantos. Os tempos são outros, mas a atmosfera continua.

Pra comer, sugiro a **Food Quarter**, uma pracinha de alimentação com vários restaurantes concentrados, no mais, são várias opções pelo caminho. Cafés pra sobremesa, então, não faltam. Meu preferido é o **Caffe Concerto**.

Soundtrack
Freedom! '90 – George Michael

Serviço
All Souls Church (Langham Place)
2 All Souls' Pl
Tel: 20 7580 3522

BBC Broadcasting House
Portland Place
Tel: 037 0901 1227

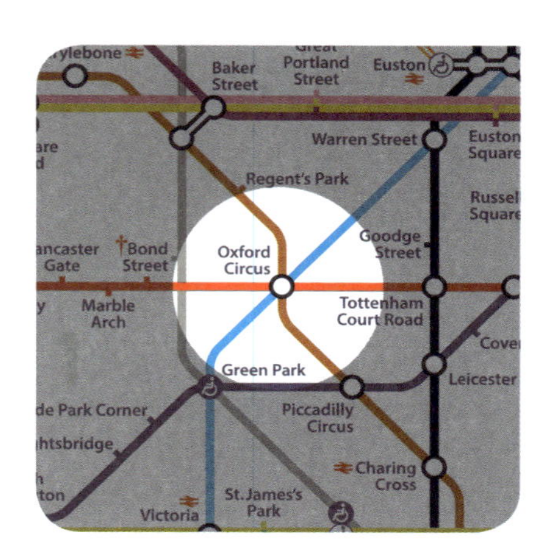

DESÇA AQUI PARA:
HEATROW e TRENS
PARA OUTRAS REGIÕES
DA GRÃ-BRETANHA

PADDINGTON

(Bakerloo line) (District line)
(Circle line) (Hammersmith & City line)

PADDINGTON ESTÁ NO GUIA MAIS PELA IMPORTÂNCIA DA estação do que pelas atrações que ficam próximas ao metrô. É um local histórico, em atividade desde 1838 a serviço da *Great Western Railway*. Foi o primeiro terminal da antiga *Metropolitan Railway*, inaugurada em 1863, o primeiro sistema de metrô do mundo. E, desde 1998, faz a ligação direta com o aeroporto através do **Heathrow Express**, o trem que você provavelmente vai utilizar quando chegar a Londres.

Os trens para *Heathrow* partem a cada 15 minutos, começando às 05h10 da manhã até as 23h25, totalizando 150 viagens num dia. O mesmo vale sentido aeroporto/estação. São duas paradas: *Heathrow Central*, servindo os terminais 1 e 3 (15 minutos de Paddington); e *Heathrow terminal 5* (o que você deve utilizar chegando do Brasil, a 21 minutos de Paddington). São cerca de 16 mil passageiros por dia e cinco milhões por ano utilizando o serviço, considerado um dos mais eficientes do mundo. Mas cuidado pra não exagerar na bagagem, as malas vão com você em compar-

timentos dentro dos vagões. Você pode comprar o bilhete com antecedência pela internet ou no aeroporto, assim que passar pela imigração, tanto faz.

Chegando a *Paddington,* o acesso ao metrô é rápido e bem sinalizado, não precisa nem sair da estação principal, as estações são interligadas. E são várias linhas à disposição, o que facilita bastante: *Bakerloo, Circle, District* e *Hammersmith & City line*. Mas, se você preferir, pode pegar um **black cab** pra de cara conhecer um dos ícones da cidade. Os táxis, apesar de novos, são inspirados nos modelos antigos (os chamados FX4) e em grande

maioria fabricados pela empresa *LTI*. E pode ficar tranquilo, sem medo de entregar que é turista: os motoristas são treinados pra fazer o caminho mais rápido e eficiente, é tão difícil virar taxista na Inglaterra que ninguém quer colocar a licença em risco. São cerca de três anos de curso e ainda uma prova, *The Knowledge*, em que o candidato precisa mostrar conhecimento geral da cidade, das 320 rotas consideradas básicas e ainda dos lugares mais importantes, como parques, estações de trem e prédios históricos. O motorista pode alugar um *cab* e pagar cerca de 500 libras por mês ou comprar mesmo, mas o "carrinho" é caro: custa entre 33 e 37 mil libras, dependendo da configuração do modelo.

Fechando os parênteses, voltemos à *Paddington*: da estação partem ainda trens com destino a diferentes localidades do Reino Unido: Oxford, Windsor, Bristol, Bath, Gloucester, Worcester, Exeter, Plymouth, Torquay,

Truro, Penzance, Newport, Cardiff e Swansea. Oxford, não custa lembrar, é a mais antiga das universidades de língua inglesa e é considerada uma das 10 melhores do mundo. Na cidade também estão locações da franquia Harry Potter. Outro passeio bacana que pode ser feito em um dia é a visita ao castelo de **Windsor**, basta trocar de trem em Slough e em 30 minutos você estará no castelo onde a rainha gosta de se refugiar.

E a estação, apesar de modernizada, mantém muitos detalhes originais. Parte das plataformas que servem à linha *Hammersmith & City* é da época da inauguração do metrô, dia 10 de janeiro de 1863, quando a estação ainda se chamava *Paddington Bishop's Road*. Hoje em dia, o terminal segue o padrão das grandes estações, com muitas lojas e locais pra comer. A parte conhecida como *The Lawn* é o coração comercial de *Paddington*, com diversos restaurantes e uma lojinha oficial do *Paddington Bear*, o ursinho criado em 1958 que tem até uma estátua em bronze na estação, exatamente onde foi encontrado pela família Brown no filme *As aventuras de Paddington*. É pelo *Lawn*, por uma passarela, que os hóspedes do **Hilton London Paddington** podem entrar no hotel cortando caminho pela estação. A fachada clássica, da época em que o prédio pertencia ao **Great Western Royal Hotel**, é de 1854.

Na London Street, rua que parte do terminal, fica a churrascaria **Desejo do Brazil**. A única do gênero nas redondezas. O famoso "churrasco style" deixa os gringos malucos, já vi turistas suecos na porta implorando por uma unidade no país escandinavo.

Soundtrack
Peace train – Cat Stevens

Serviço
Paddington Station
Praed Street, Paddington, W2 1RH
Tel: 020 7922 6793

Hilton London Paddington
146 Praed St., London W2 1EE
Tel: 020 7850 0500

Desejo do Brazil
London Street, W2 1TP
(168 Sussex Gardens)
Tel: 020 7402 3456

DESÇA AQUI PARA:
BELIEVE IT OR NOT, LILLYWHITES e COOL BRITANNIA

PICCADILLY CIRCUS

(Piccadilly line) (Bakerloo line)

MUITA COISA PRA VER, MUITAS SAÍDAS DE METRÔ. VAMOS por partes: sugiro a *exit 4*, seguindo a placa que indica *Haymarket/Eros*. Você vai passar pela saída que leva à *Shaftesbury*, depois a que sai em *Haymarket*, e seguir direto para a que indica apenas *Eros*. Pronto, **Eros** é esse monumento que fica bem no centro da praça, construído entre 1892 e 1893. O nome oficial é *Shaftesbury Monument Memorial Fountain*, erguido em comemoração ao trabalho filantrópico de Lord Shaftesbury, famoso político da era vitoriana.

E já que a estátua é um ícone londrino, vamos tomá-la como referência. Pare um pouco à frente de Eros, bem de cara ao famoso painel luminoso que funciona desde o início do século passado; só a Coca-Cola tem espaço fixo desde 1954. Agora, pense em **Piccadilly** como uma aranha: a praça é o corpo e, a ruas, as pernas. O próximo passo é conhecer as *streets* no sentido horário, *clockwise* como diriam os ingleses: bem na sua frente está a **Shaftesbury**, famosa pelos diversos teatros com os imperdíveis

musicais em cartaz. É o **West End**, a Broadway britânica. À direita, fica a *Coventry Street*, rua que leva à **Leicester Square**. Seguindo o ponteiro do relógio imaginário mais à direita, a *Haymarket* é o caminho para **Trafalgar Square**. É também onde, desde 2009, fica a unidade do **Planet Hollywood** em Londres, com aquela tradicional memorabilia dos filmes hollywoodianos. Um pouco mais abaixo, está a mais trepidante unidade da **Spaghetti House**, rede italiana de restaurantes aberta pela família Lavarini lá pelos idos de 1950.

Mais atrás, temos a **Lower Regent Street**, onde ficava o *Paris Theatre*, antigo cinema que a BBC transformou em estúdio de rádio, virou *Paris Studios* e ficou famoso pelas apresentações de artistas ao vivo: aquele disco dos Beatles lançado nos anos 1990, *Live at the BBC*, foi gravado ali. O prédio continua de pé, mas trocou a classe artística pela geração saúde, virou academia. A **Piccadilly** propriamente dita, que vai desembocar lá na estação *Green Park*, é a próxima. Pra fechar a volta do nosso relógio, bem à esquerda e com a famosa arquitetura curva criada por John Nash, está a **Regent Street**. Mais informações sobre a famosa rua de compras no capítulo *Oxford Street*.

Essa junção de ruas importantes é proposital, foi construída em 1819. *Circus* vem do latim "circle", que obviamente quer dizer círculo. Repare que você está a poucos minutos a pé de outras estações do metrô: *Leicester Square, Oxford Circus* e *Green Park*. Andando um pouquinho mais, *Covent Garden* e *Tottenham Court Road*. O que é ótimo, amplia as possibilidades de linhas, abre o leque de destinos. Por isso, costumam dizer que, para os ingleses, *Piccadilly* é o coração de Londres.

Mas voltemos à praça. Em torno do *Eros,* estão duas lojas emblemáticas. A **Cool Britannia**, provavelmente a maior da cidade em termos de *souvenirs* da Inglaterra. É o lugar ideal pra comprar aquela lembrancinha típica, como a miniatura do *Big Ben* ou das cabines telefônicas. Ao lado, fica a **LillyWhites**, megastore de tênis e materiais esportivos em geral. Quando abriu as portas, em 1925, era especializada em *croquet* e tênis, mas hoje quem manda mesmo é o futebol, dono do segundo andar. No primeiro piso, ali perto dos caixas, os preços geralmente são promocionais.

Do outro lado da praça, ao lado do painel luminoso, fica um imponente prédio que hoje abriga o **Ripley's Believe It or Not**. Sim, é o museu daquele programa apresentado por Jack Palance que passava na saudosa TV Manchete, o "Acredite se quiser". A primeira unidade foi aberta em Chicago, em 1933. Também tem uma em Orlando, na Flórida. A de Londres é bem mais nova, foi inaugurada em 2008 no **London Pavilion**. A construção é de 1885 e funcionou basicamente como teatro até 1934, quando foi transformada em cinema. Aliás, foi lá que os Beatles fizeram a pré-estreia de *A Hard Day's Night,* em 1964. Até que, em 1986, as atividades artísticas foram encerradas e o espaço foi convertido em shopping. O antigo cinema abrigou ainda uma exposição idealizada pelo pessoal do *Madame Tussauds*, o *Rock Circus*, com estátuas de cera de personalidades do pop-rock. A mostra deixou o lugar em setembro de 2001.

Nas redondezas também fica o **London Trocadero**, uma espécie de galeria oitentista cheia de lojas, cinemas e restaurantes. Anda meio decadente, datada, mas vale a visita. Pra explorar o lugar, basta escolher uma das várias entradas e se jogar. Destaque para as sete salas de cinema da *Cineworld*, o *Rainforest Cafe*, a *Gamerbase* para os fãs de games e o *Trocadero Underground*, onde a galera pratica *street dance* à vontade ao som de DJs.

Para os fãs de stand up comedy, a parada na **The Comedy Store** é obrigatória. Tente pegar um panfleto de descontos normalmente distribuído em Leicester Square e vá dar umas risadas no lugar que é considerado "o pai do gênero" por muitos comediantes. O que começou como a sobreloja de um clube de striptease no final dos anos 1970, virou celeiro do humor alternativo a partir da década de 1980. Ben Elton, autor de "We Will Rock You" (musical do Queen), começou ali.

Nas redondezas, temos ainda banco, farmácia, pontos de venda de ingressos para os teatros (muitos com bons descontos, vale a pena conferir), várias lojinhas de bugigangas, o *Piccadilly Theatre* e alguns lugares pra comer. Lembra daquele restaurante italiano de Manchester? A unidade do *Cicchetti* em Londres fica bem ali, no 215 da Piccadilly.

Pra entrar no clima, a trilha escolhida foi pinçada do especial *Rock and Roll... Circus!*

Soundtrack

Jumping Jack Flash – The Rolling Stones

Serviço

Ripley's Believe It or Not
The London Pavillion, 1 Piccadilly Circus, W1J 0DA
Tel: 020 3238 0022

London Trocadero
7-14 Coventry St., W1D 7DH
Tel: 020 7439 1791

The Comedy Store
1a Oxendon Street, SW1Y 4EE
Tel: 020 7344 0234

Planet Hollywood UK - London
57-60 Haymarket, SW1Y 4QX
Tel: 020 7287 1000

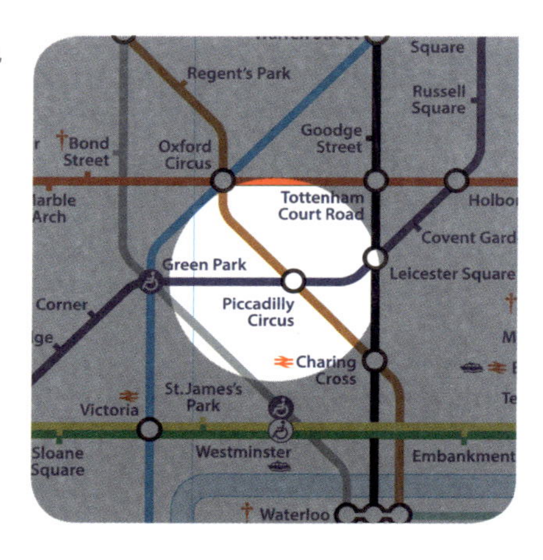

REGENT'S PARK

(Bakerloo line)

DURANTE A IDADE MÉDIA, ERA O CHAMADO "PARQUE DE caça". Até que, em 1811, o então Príncipe Regente (mais tarde, Rei George IV) lançou um desafio ao arquiteto John Nash: remodelar o espaço. A ideia inicial era construir um palácio para o príncipe com vilas ao redor para acomodar os amigos do futuro Rei. Mas o plano não foi adiante e, em 1835, ao menos duas vezes por semana, o **Regent's Park** era aberto ao público. Só em 1853 a porteira foi aberta de vez.

A estação mais próxima leva o nome do parque e foi inaugurada em março de 1906. Ao contrário da maioria das estações londrinas, não existe uma entrada na superfície, o que confere a ela um jeitão de *subway* americano, com aquela escadinha que sai direto na rua. E não tem erro: você vai subir e dar de cara com a enorme área verde do outro lado da rua.

No parque real estão nove palacetes, as tais vilas que constavam no projeto inicial. Entre eles a *Winfield House*, que desde 1955 abriga o embaixador dos EUA em Londres. Destaque também para o *St John's Lodge*, que já foi sede do Instituto de Arqueologia da Universidade de Londres. Um jardim em especial chama a atenção: *Queen Mary's Gardens*. Ali está a maior coleção de rosas da cidade, são, aproximadamente, 12 mil. Begônias, são 9 mil. Nas primeiras semanas de junho a paisagem é de encher os olhos, vale a visita.

Mas a estrela do pedaço fica mesmo no lado norte: **London Zoo**. Aliás, reza a lenda que a abreviação Zoo foi usada pela primeira vez no jardim zoológico londrino. Ele foi inaugurado em 1928, voltado para estudos científicos, mas, cerca de 20 anos depois, era, eventualmente, aberto à visitação pública. Hoje em dia o espaço abriga mais de 800 espécies e quase 20 mil animais ao todo, uma das maiores coleções do Reino Unido. Dica: reserve ao menos 2 horas pra fazer o passeio render, o tíquete não é dos mais baratos.

Anote aí as atrações que fazem mais sucesso, principalmente com a garotada: *Gorilla Kingdom*, que reproduz uma floresta africana com direito à colônia de gorilas. No *Tiger Territory* ficam os tigres trazidos da Indonésia. As crianças ficam loucas com o cantinho dos *Meerkats* também, o que a gente chama de suricato por aqui. Os bichinhos são bem interativos e a pose que eles fazem enquanto são observados é impagável. No mais, tem pinguins, hipopótamos, girafas e tartarugas. Sem falar no aquário, na sala dos répteis e até nos insetos.

Sim, o **Regent's Canal** corta o parque, aquele mesmo que passa pala famosa *Little Venice*. Se preferir, você pode pegar o *Waterbus* em Camden, por exemplo, ao invés de usar o metrô. Existe um pacote que já inclui a entrada no *Zoo*. Para os fãs de cinema e Harry Potter: quando o aprendiz de bruxo fala pela primeira vez com uma serpente, no longa *Harry Potter e a Pedra Filosofal*, ele está no *Regent's Park*.

Soundtrack
Mardy Bum – Arctic Monkeys

Serviço
Regent's Park
Chester Rd, London NW1 4NR
Tel: 300 061 2300

ZSL London Zoo
Regent's Park London NW1 4RY
Tel: 0344 225 1826

SHEPHERD'S BUSH

(Central line)

DESÇA AQUI PARA:
WESTFIELD,
BREWDOG e
O_2 SHEPHERD'S BUSH
EMPIRE

PODEM SER TRÊS ESTAÇÕES: *SHEPHERD'S BUSH MARKET* *tube station*, *Shepherd's Bush* (*Overground*) ou apenas **Shepherd's Bush**. Vamos ficar com essa última, inaugurada em 1900, que atende à *Central line*. Abriu em 1900 e, em 2008, ficou 8 meses fechada pra ser completamente remodelada. Hoje, pela fachada de vidro, dá pra ver boa parte da praça que vai servir de referência para o seu passeio.

A área triangular coberta de grama, árvores e memoriais é chamada de *Shepherd's Bush Green*. Várias avenidas importantes ficam no entorno, fazendo da praça um ponto bem movimentado de *West London*. Pra você ter uma ideia, 18 linhas de ônibus passam por ali. Mas como a nossa praia é o metrô, no sentido oposto da estação fica uma emblemática casa de shows.

Se o leitor é fã de **Amy Winehouse**, de cara, vai reconhecer o **O_2 Shepherd's Bush Empire**. Foi lá, em novembro de 2007, que a cantora gravou o famoso DVD "I Told You I Was In Trouble: Live In London". O teatro, que foi inaugurado em 1903 e chegou a receber Charlie Chaplin nos tempos da trupe de Fred Karno, foi vendido para a BBC exatos 50 anos depois. Vários programas foram feitos lá até 1991, quando a emissora deixou o prédio vago, que só em 1994 ganharia o atual nome *Empire*. Além de Amy, Stones e Sheryl Crow já fizeram um som na casa. A programação, hoje em dia, tem uma pegada mais alternativa, se você quiser assistir a um show *mainstream*, talvez não seja o lugar mais indicado. Em todo caso, vale espiar o site, vira e mexe algum nomão fica em cartaz.

Ali pertinho, na *Goldhawk Road*, fica um *point* adorado pelos cervejeiros de plantão: a **BrewDog**. A marca escocesa foi fundada em 2007 e produz cerca de 120 mil garrafas por mês. São vários tipos de cervejas, muitas delas premiadas e todas adoradas. A unidade em *Shepherd's* é de 2013, só um pouco

mais antiga que a de Pinheiros, em **São Paulo**, aberta em 2014. Ah, o burger da casa é bem servido e honesto.

Atravessando a praça de volta, bem atrás da estação do metrô, fica o gigantesco ***Westfield***. O Shopping, da mesma rede do que foi construído em Stratford para as olimpíadas em 2012, abriu em 2008. São mais de **300 lojas** espalhadas por uma área equivalente a **30 campos** de futebol. Várias das marcas mais famosas de Londres estão por lá: *M&S*, *H&H*, *Boots*, *Timberland*, *Zara*, *Foyles*, *hmv* e muitas outras. Tem cinema da rede *Vue* com 17 salas digitais e, na ala gastronômica, destaque para o expoente máximo da *trash-food* americana desde 1986: **FIVE GUYS**. Não tem pra Jamie Oliver dessa vez, o burger preferido de Obama leva o caneco, lotado de fritas.

Mulherada, atenção: não é *outlet*, é shopping normal. Muita calma com as **libras** nessa hora.

Soundtrack
Rehab – Amy Winehouse

Serviço
Westfield London
Ariel Way, Shepherd's Bush, W12 7DS
TEL: 020 3371 2300

Brewdog
15-19 Goldhawk Road,, London
W12 8QQ
Tel: 020 8749 8094

O_2 Shepherd's Bush Empire
Shepherd's Bush Green, London
W12 8TT
Tel: 020 8354 3300

DESÇA AQUI PARA:
PETER JONES, ROYAL COURT THEATRE e KING'S ROAD

SLOANE SQUARE

(Circle line) (District line)

CONFESSO: A ESTAÇÃO ME SURPREENDEU, NÃO FAZIA PARTE do projeto original. Mas preciso dizer aqui que, aos 45 do segundo tempo, virou uma das minhas preferidas por vários motivos: a praça tem um astral bom, Chelsea é um bairro agradável, tem história, lojas bacanas e, pra terminar, conexões com Beatles e Rolling Stones.

A estação do metrô fica bem na *square*, ao lado de uma das atrações da área: **Royal Court Theatre**. Foi o teatro que abriu as portas para o *The Rocky Horror Show*, em 1973. O musical, premiadíssimo, roda o mundo até hoje e está na prestigiada lista da BBC *Nation's Number One Essential Musicals*. E o espetáculo foi parar no *Royal Court* justamente pelo perfil alternativo do teatro, considerado *off-West End* pelos artistas e produtores. Para o *New York Times*, é "the most important theatre in Europe". Está no DNA do espaço, aberto em 1870, o compromisso com a formação de novos roteiristas, atores e diretores.

Deve ter sido esse clima de novidade que atraiu os Beatles assim que aterrissaram em Londres vindos de Liverpool em fevereiro de 1962. A princípio, John, Paul George e Ringo foram colocados num hotel mais sofisticado por Brian Epstein, então empresário do grupo. Mas a rapaziada não curtiu o clima solene e se mandou para o **Sloane Square Hotel**, que também fica na praça. Há quem diga que lá, pela primeira e única vez, eles moraram realmente juntos por algum tempo. Tanto gostaram que voltaram no ano seguinte, em 1963, para uma sessão com o fotógrafo Cyrus Andrews. Por

coincidência, o hotel também serviu de locação para o primeiro encontro de McCartney com a futura namorada Jane Asher, durante uma entrevista para o tradicional guia britânico *Radio Times*.

E ainda na encantada praça, fica a loja de departamentos **Peter Jones**. O prédio de 1936, sinuoso e envidraçado, é considerado uma das primeiras construções modernistas da arquitetura pós-vitoriana. Mas a megastore de seis andares que ocupa quase a quadra inteira está ali desde 1877, quando saiu de Marylebone. Em 1914, foi comprada por John Lewis (o mesmo da Oxford Street) e, em 2004, passou por uma milionária reforma que atraiu novos clientes e turbinou o movimento, que já era bom. É o endereço de compras preferido dos moradores da chamada *south west London*.

Uma das entradas da *Peter Jones* fica na **King's Road**, famosíssima rua de Chelsea que bombava na época da chamada *Swinging London*. Foi lá, por exemplo, que a estilista Mary Quant criou a minissaia no 138-A. Era o número da *Bazaar*, que acabou se tornando símbolo da moda de vanguarda dos anos 1960 e 1970. Quase em frente, pelo final dos anos 1960, ficava a *Chelsea Drugstore*, na esquina da King's com a Royal Avenue. O que hoje virou mais uma unidade do McDonald's já serviu de inspiração para Mick Jagger no sucesso *You Can't Always Get What You Want*:

So, I went to the Chelsea Drugstore, to get your prescription filled.

A **SEX**, de Vivienne Westwood (estilista) e Malcom McLaren – agitador cultural e descobridor dos *Sex Pistols* –, também ficava na rua. Não por acaso, Chrissie Hynde (Pretenders) e Sid Vicious (Sex Pistols) fizeram parte do time de vendedores em algum momento da curta trajetória da boutique. Em 1976, o número 430 da King's Road mudou de nome e o baile punk seguiu. Mas a rua tem muitas outras ligações com a música. Um bom exemplo é o *pub* **Chelsea Potter**: ali, no número 119, Clapton e Hendrix gostavam de botar o papo em dia.

A **Swan Song Records**, gravadora criada pelo pessoal do Led Zeppelin, em 1974, para lançar seus próprio discos e novos artistas, funcionou até 1983 no 484 da trepidante rua. O logotipo da gravadora, inspirado na figura do deus grego Apollo, é constantemente associado à imagem da banda por ter aparecido no álbum *Physical Graffiti*. Em tempo: uma das propriedades de Ringo, baterista dos Beatles, também fica na King's Road, num imponente condomínio de tijolos vermelhos aparentes perto da *Duke of York Square*. Dizem que é lá que ele pode ser encontrado quando está na cidade. Mas resista: não vale aparecer na portaria e perguntar pelo Ringo Starr.

Soundtrack

You Can't Always Get What You Want – The Rolling Stones

Serviço

Peter Jones
Sloane Square, SW1W 8EL
Tel: 084 4693 1751

Royal Court Theatre
50-51 Sloane Square, London
SW1W 8AS
Tel: 020 7565 5000

Sloane Square Hotel
7-12 Sloane Square, SW1W 8EG
Tel: 020 7896 9988

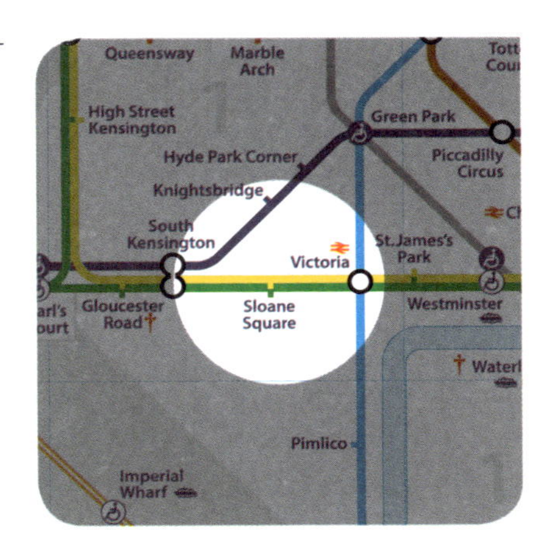

SOUTH KENSIGTON

DESÇA AQUI PARA:
ROYAL ALBERT HALL, THE ALBERT MEMORIAL, VICTORIA & ALBERT, NATURAL HISTORY MUSEUM e SCIENCE MUSEUM

(District line) **(Circle line)**
(Piccadilly line)

UMA COISA BEM BACANA DO METRÔ DE LONDRES É QUE, mesmo quando você pega o trem errado, pode dar certo. Isso aconteceu várias vezes comigo, mas lembro de uma em especial, o que talvez tenha me dado o estalo pra fazer um guia tomando o metrô como base. Estava eu me lamentando da falta de atenção quando o sistema de alto-falantes anunciou:

> *South Kensigton. This is your stop for the museums and... Royal Albert Hall.*

Vale dizer aqui que um dos meus DVDs preferidos é o "Concert for George", gravado na centenária casa de shows em 2002, em homenagem ao eterno beatle George Harrison e cheio de participações especiais: Eric Clapton, Paul Mc-Cartney, Ringo Star e Danny Har-

rison, filho de George. Pra sonorizar este capítulo, baixe alguma faixa desse disco.

The Royal Albet Hall é uma das casas de shows mais tradicionais e imponentes de Londres. Começou a ser construída em 1867 e ficou pronta em 1871, exatos 10 anos depois da morte precoce do Príncipe Albert aos 41 anos. Justamente por isso, a Rainha Victoria, ainda de luto, sugeriu batizar a construção homenageando o marido. Ao longo desse quase século e meio de vida, o *Hall* recebeu as mais diversas atrações: balés internacionais, shows de Frank Sinatra, passando por Led Zeppelin até Adele, Cirque du Soleil, peças de teatro, luta de boxe e até partida de tênis, com Jonh McEnroe e Pete Sampras.

A capacidade do auditório, inicialmente pensada pra 30 mil pessoas, acabou ficando em 8 mil devido aos custos. No início, por causa da cúpula de vidro, a acústica era horrível. Em 1949, trocaram por placas de alumínio, mas só 20 anos depois a solução foi encontrada. Em 1969, os engenheiros responsáveis distribuíram 135 discos feitos de fibra de vidro em forma de cogumelos, que com o passar dos tempos foram sendo retirados até que o número ideal fosse encontrado, os 85 de hoje. O *grand tour* feito em 1 h desvenda alguns bastidores bem curiosos do prédio e passa pelas seguintes áreas: o auditório, a galeria (o lugar mais acessível e multiuso do *Hall*) e as suítes reais, *The Royal Retiring Room*. É uma extensão do camarote real, onde a Rainha fica antes e depois dos espetáculos. O passeio é uma alternativa interessante se você não conseguir ingresso para algum show.

Bem em frente, ao lado norte da casa de shows, está o parque *Kensington Gardens*. E no *royal park* fica o **The Albert Memorial**, construído em memória do Prince Albert. Na inauguração do *Hall*, a estátua de 54 metros de altura estava coberta por um pano preto, já que a Rainha Victoria ainda não suportava ver a imagem do marido.

A vizinhança é toda ligada às artes. Do outro lado da *venue*, fica o **Royal College Of Music**. O conservatório, aberto em 1882, é considerado uma das principais instituições do gênero no mundo. Rick Wakeman (tecladista do Yes), John Williams (autor das trilhas de *ET*, *Guerra nas Estrelas* e *Superman*) e Andrew Lloyd Webber (compositor de musicais como *Fantasma da Ópera* e *Cats*) estudaram ali.

Já bem perto do metrô fica o **Victoria & Albert Museum (V&A)**, considerado por muita gente o melhor da cidade. Além do acervo, muitas exposi-

ções legais aterrissam por ali. Em 2013, vi uma sensacional com figurinos de cinema; roupas originais usadas pelos atores estavam lá: a do vagabundo de Chaplin, o uniforme original de *Superman* usado pelo inesquecível Christopher Reeve e até o conjunto amarelo vestido por Uma Thurman em *Kill Bill*, cortesia de Quentin Tarantino. Logo, vale ficar ligado na programação.

Nas redondezas, e na mesma rua, ficam ainda o **Natural History Museum** e o **Science Museum**. Por isso, não estranhe se uma criançada estiver correndo pelos túneis da estação. Muitas saídas de *South Kensigton* levam direto aos museus. No primeiro, são 70 milhões de itens divididos em 5 ca-

tegorias: botânica, entomologia, mineralogia, paleontologia e zoologia. A entrada principal do prédio de 1881, pela *Cromwell Road*, lembra até uma igreja. A réplica do esqueleto de um *Diplodocus*, com 26 metros, é um clássico do *Central Hall* desde 1905.

Já o embrião do museu de ciência data de 1851, quando uma exposição foi montada num palácio de vidro que ficava no *Hyde Park* chamado *Crystal Palace*. Em 1857, o espaço foi oficializado e hoje é uma das maiores atrações de Londres, recebendo quase 3 milhões de visitantes por ano. Na coleção, estão 300 mil itens espalhados por diversas galerias, algumas com exposições fixas e outras temporárias.

Soundtrack
Isn't a pity – Eric Clapton
(Concert for George)

Serviço
Royal Albert Hall
Kensington Gore, London SW7 2AP
Tel: 020 7589 8212

Victoria and Albert Museum
Cromwell Rd, London SW7 2RL
Tel: 020 7942 2000

Natural History Museum
Cromwell Rd, London SW7 5BD
Tel: 020 7942 5000

Science Museum
Exhibition Rd, London SW7 2DD
Tel: 870 870 4868

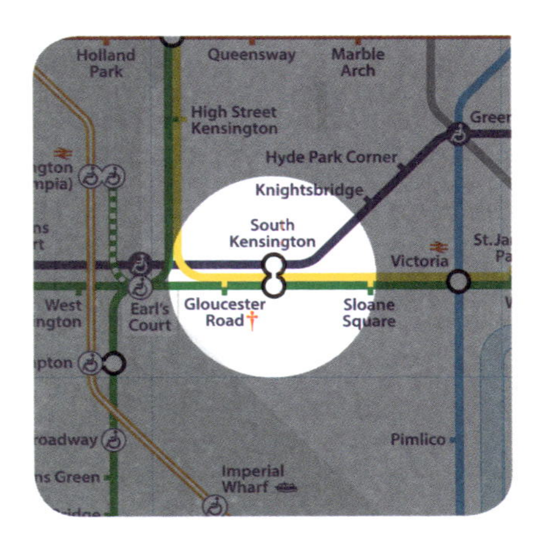

SOUTHFIELDS

(District Line)

DESÇA AQUI PARA:
WIMBLEDON
(THE ALL ENGLAND LAWN TENNIS CLUB)

MAIS UMA TÍPICA PEGADINHA DO METRÔ LONDRINO. VOCÊ é fã de esportes, pega o mapa, vê uma estação na linha verde chamada **Wimbledon** e pensa: opa, vou lá conhecer a sede do mais tradicional *Grand Slam* do universo do tênis! Até pode ir, mas vai andar bastante. Pra chegar mais rápido ao *The All England Lawn Tennis Club*, o melhor é descer na parada anterior: **Southfields**.

Uma vez na rua, prepare-se pra uma boa caminhada de 15 ou 20 minutos, numa reta só. Se você preferir, pode pegar um ônibus também. Ou ainda, se estiver com pressa, apelar pro táxi. Mas achar um *black cab* na *Wimbledon Park Road* pode ser mais difícil que devolver um saque do tenista Pete Sampras. A dica é atravessar a rua e pedir um *Mini Cab* (táxi comum), que chega em 5 minutos e vai custar 5 *pounds*.

O curioso é que o clube, quando foi fundado, em 23 de julho de 1868, era um *Croquet Club*. O tênis mesmo só foi entrar em segundo plano quase uma década depois, em 1877. Já em 1899, as prioridades se inverteram: *The All England Lawn Tennis and Croquet Club*. Pra saber o resto da história, recomendo uma visita ao museu.

Além das galerias, com itens que ajudam a contar a história do esporte a partir do século 16, a visita dá direito a um totem multimídia em que você pode rever as grandes jogadas da história do *slam* e ainda uma impagável projeção do "fantasma" de John McEnroe, que relembra sua preparação para os jogos num ambiente que remete ao vestiário da época em que os

embates com Jimmy Connors eram a sensação do torneio. Mas fique tranquilo, nenhuma raquete virtual vai voar em você.

O *stadium tour*, como a maioria das visitas esportivas guiadas de Londres, dura cerca de 1h30 e é recheado de informações de bastidores e muitas curiosidades. Fora que conhecer a *Centre Court* (quadra central) com capacidade para 15 mil pessoas e seu telhado retrátil que estreou em

2009 não tem preço. Também fazem parte do roteiro a nova *No. 1 Court* (quadra 1), o *Millennium Building* (onde ficam os vestiários e outras facilidades para os jogadores), o estúdio da *BBC Sports* e a sala de imprensa, disputadíssima durante o torneio. Taí um ingresso muito bem pago, que de quebra dá direito ao museu.

A loja, oficialmente chamada de *Museum Shop*, abre sete dias por semana. Sim, você até pode entrar no complexo só pra comprar uma lembrancinha pro seu amigo tenista. As bolinhas de tênis em forma de chaveiro são baratas e fazem sucesso, mas a linha oficial de roupas é bem salgada.

Na caminhada de volta à estação, ouvindo um som e curtindo a vista do parque à direita, se bater aquela fome, dê uma parada no **Original Fish & Chips**. A especialidade deles é o famoso *to take away*, mas você pode sentar nas mesinhas e comer ali mesmo. Eu recomendo o cachorro-quente, que vem com uma bem servida porção de batatas.

Soundtrack
Goodbye Yellow Brick Road – Elton John

Serviço
Wimbledon
(The All England Lawn Tennis Club)
Church Road, SW19 5AE
Tel: 037 1334 3030

The Original Fish & Chip Company
255 Wimbledon Park Rd London
SW19 6NW
Tel: 020 8871 4454

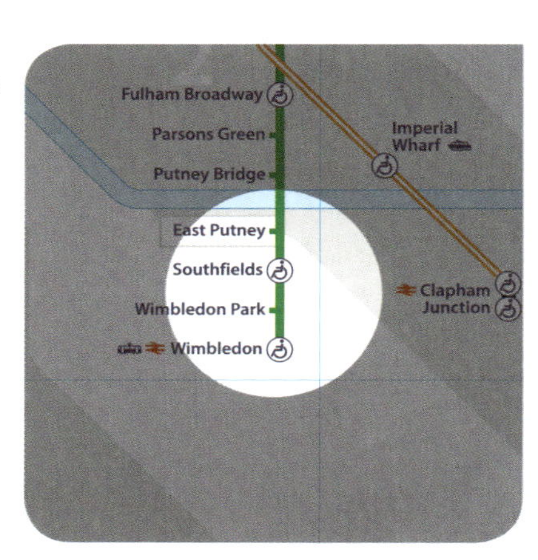

DESÇA AQUI PARA:
ABBEY ROAD STUDIOS e THE BEATLES COFFEE SHOP

ST. JOHN'S WOOD

(Jubilee Line)

OK, VOCÊ RESOLVEU DAR O *BY PASS* NO *BEATLES WALK*, NO *Rock Tour*, e quer ir direto ao ponto final do passeio, o estúdio que ficou famoso graças ao quarteto fantástico de Liverpool. Sem problemas, *we can work it out*. Basta sair da estação, seguir reto na avenida e virar à direita na rotatória. Em tempo: passe longe da estação *Abbey Road*, que fica a 16 km de distância. A quantidade de turistas que vão parar em *East London* por engano é enorme.

O prédio, de arquitetura georgiana, foi construído na década de 1830. Virou estúdio em 1931, quando o patrimônio foi adquirido pela *Gramophone Company*, uma das mais antigas gravadoras britânicas. No mesmo ano, depois de uma fusão com outro selo, foi incorporado à EMI. Mas o mítico endereço londrino só foi batizado com o nome da rua em 1970, graças ao último disco gravado e penúltimo lançado por John, Paul, George e Ringo: **Abbey Road**.

Welcome to Abbey Road, the most famous recording studios in the world.

Assim diz a *home* do site oficial. O marco zero da peregrinação beatlemaníaca que congestiona a mais famosa faixa de pedestres do mundo e irrita os motoristas data de 1962, quando os *fab four* gravaram os primeiros singles da carreira e lá ficaram até o último disco, *Let it be*. Desde então, fãs do mundo inteiro atravessam tanto a rua que as listras brancas têm que ser retocada a cada três meses. Em 2010, a faixa de pedestres virou patrimônio inglês. "É a cereja do bolo de um grande ano", disse o ex-Beatle Paul McCartney na época.

E tem até flanelinha! Caso você esteja disposto a gastar cerca de 10 *pounds* pra ter um click bem próximo do original feito pelo fotógrafo Iain Macmillan, basta falar com os sujeitos que ficam rondando a área de coletes fluorescentes. O pessoal do *Me On Abbey Road* tem até site, mas eles também topam usar a sua câmera pela gorjeta de 4 libras.

Outro serviço, esse gratuito, é oficial e pode ser acessado através do site do estúdio. É a *Crossing Cam*, 24 h ligada registrando o movimento da faixa. E o melhor é que dá pra ter acesso ao arquivo separado de hora em hora, achar o momento em que você atravessou e ainda divulgar nas redes sociais. Como diriam em São Paulo, é "na faixa". Literalmente.

Graças à fama que os garotos de Liverpool conferiram ao estúdio, desde então o primeiro time do rock tem usado as míticas salas de gravação, como Pink Floyd, Duran Duran e Oasis, pra citar apenas três. Artistas brasileiros, como o pessoal do Roupa Nova, também já alugaram as instalações para registrar suas músicas. Ritchie, o inglês mais brasileiro que existe, fez a pós-produção do disco *Ritchie 60* no estúdio. A série *Live from Abbey Road*, em que artistas do quilate de Paul Simon, John Mayer e Jamiroquai protagonizavam parcerias inusitadas, foi gravada lá com público ao vivo entre 2007 e 2012.

De volta à estação, não deixe de dar uma passadinha no **The Beatles Coffee Shop**. Também conhecido por *Abbey Road Cafe* por motivos óbvios, o café é parada obrigatória para beatlemaníacos. Dependendo da época do ano, um chocolate quente pode ser providencial. O lugar também serve sanduíches, doces, e, claro, vende uma série de produtos com a cara dos Beatles. O dono é o Richard Porter, guia que você conheceu no capítulo da estação *Marylebone*.

Soundtrack
Come Together – The Beatles

Serviço
Abbey Road Studios
3 Abbey Rd, London NW8 9AY

The Beatles Coffee Shop
St. John's Wood Underground Station
Finchley Road, London, NW8 6EB
Tel: 020 7586 5404

ST. PAUL'S

(Central line)

DESÇA AQUI PARA:
ST. PAUL'S CATHEDRAL, MUSEUM OF LONDON e CAFÉ ROUGE

A SAÍDA DO METRÔ FICA BEM PRÓXIMA À CATEDRAL QUE muitos consideram um dos principais pontos turísticos de Londres. Basta seguir a sinalização ao sair da estação que a igreja, inaugurada em 1711, vai aparecer bem na sua frente. Também, impossível perder de vista uma construção de 112 metros de altura. Foi lá, em 1981, onde Charles, Príncipe de Gales, e Lady Diana Spencer se casaram aos olhos do povo inglês e da mídia internacional. Durante a visita guiada por um sistema portátil de áudio e vídeo, você pode ver cenas da cerimônia e refazer o caminho do casal até o altar.

Passagem histórica, aliás, é o que não falta à **St. Paul's Cathedral**: Margaret Thatcher, a "Dama de Ferro", foi velada lá em 2013. Winston Churchill, primeiro-ministro britânico por duas vezes (1940-45 e 1951-55), recebeu as últimas homenagens no templo em 1965. Nada mais justo, pois graças a Churchill a igreja foi salva durante a Segunda Guerra, a Blitz entre 10 de

outubro de 1940 e de 17 de abril de 1941. O então primeiro-ministro ordenou que toda a defesa aérea se voltasse ao prédio:

The cathedral must be saved!

Em 1977, a Rainha Elizabeth II comemorou o Jubileu de Prata na catedral, nos 25 anos de trono. No dia seguinte aos atentados de 11 de setembro, a praça em frente amanheceu repleta de gente orando pelas vítimas. Existe até um memorial lá dentro, perto do altar. Mas as celebrações no local vêm

de longe, mais precisamente do ano 604. Depois de um incêndio, em 1087, a igreja foi reconstruída. Pegou fogo de novo em 1136, mas só em 1240 foi finalmente consagrada. Até que o "Great Fire of London", em 1666, engoliu a *Old St. Paul's* de vez. Sem dó nem piedade, o prédio virou cinzas. A nova consagração viria 32 anos depois, em 2 de dezembro de 1697, mas a obra só foi declarada pronta pelo parlamento em 1711.

Note que, até 1962, a catedral era o prédio mais alto de Londres. A vista do domo, inspirado na Basílica de São Pedro no Vaticano, ainda hoje impressiona. Mas pra chegar ao topo você vai pagar uns bons pecados pelo caminho: do chão até a *Whispering Gallery*, onde você sussurra de um lado e é ouvido do outro, são 257 degraus. Com mais 119 lances, a *Stone Gallery* é alcançada. Respire fundo e suba "apenas" mais 152 degraus numa escadinha apertada e pronto, o céu é o limite: ou melhor, a *Golden Gallery*. Mas pense nos 528 obstáculos antes, porque não dá pra voltar; a subida é de um lado e a descida, do outro. Ou seja, a escada é mão única.

Não deixe também de visitar a Cripta, no subsolo da catedral. Lá estão sepultadas importantes personalidades como Lord Nelson, herói da Batalha de Trafalgar; Lord Wellington, que lutou em Waterloo, e Sir Christopher Wren, o arquiteto responsável pela igreja. O complexo conta ainda com um café, um restaurante e uma lojinha.

Se depois de tantas subidas e descidas a fome apertar, existem várias opções ao redor da catedral. A minha preferida é o **Café Rouge**, um bistrô estilo francês com mais de 120 unidades no Reino Unido. O restaurante, inaugurado em 1989, serve um *Boeuf Bourguignon* para Julia Child nenhuma botar defeito. Perto da catedral fica também o **Ye Olde Cheshire Cheese**, no 145 da Fleet Street. Um dos *pubs* mais antigos da cidade está ali desde 1538 e precisou ser reconstruído depois do incêndio de 1666. Mark Twain, o escritor, era assíduo frequentador.

A 300 metros da estação, mas no sentido oposto à igreja, fica o **Museum Of London**, que surgiu da fusão de dois outros museus depois da Segunda Guerra: *The Guildhall* e *London Museums*. Pra quem gosta de história e quer entender a evolução da cidade, este é o lugar certo.

Aberto em 1976, no processo de revitalização da *City of London*, o lugar guarda documentos e objetos que vão da pré-história londrina até os tempos modernos. São quatro andares que mostram a arqueologia do local, a Londres dos romanos, a medieval, os tempos da guerra e a era moderna, que vai até os dias de hoje. A entrada para as galerias permanentes é gratuita, apenas as exposições temporárias são cobradas. Cerca de 400 mil pessoas visitam o museu por ano.

Soundtrack
Stairway to heaven – Led Zeppelin

Serviço
St. Paul's Cathedral
St. Paul's Churchyard, EC4M 8AD
Tel: 020 7246 8357

Museum of London
150 London Wall, EC2Y 5HN
Tel: 020 7001 9844

STRATFORD

(Jubilee line) (Central line)
(London Overground) (DLR)

DESÇA AQUI PARA:
QUEEN ELIZABETH OLYMPIC PARK

SE VOCÊ QUISER VER DE PERTO O TAL DO LEGADO QUE OS Jogos Olímpicos podem deixar para uma cidade ou região, visite o parque construído para as olimpíadas de 2012. Graças ao evento, uma área menos privilegiada foi inserida com dignidade no mapa da cidade. E não falo só de arenas esportivas, e sim de pontes, estações de trem, conjuntos de apartamentos. A página oficial do parque na internet traz a seguinte mensagem:

Os Jogos de 2012 prometem promover igualdade, inclusão e levar novas oportunidades para bairros mais pobres e socialmente excluídos de Londres.

Dito e feito. Estão no complexo o **Olympic Stadium** – que em breve vai ser a nova casa do West Ham –, o **London Aquatics Centre** e também o **London Olympics Media Centre**, famoso centro de imprensa. Logo atrás, fica o **Lee Valley Hockey and Tennis Centre**. Sem falar no **Copper Box**, que sediou as partidas de handball e depois virou uma arena multiuso, até se tornar a casa do *London Lions basketball,* time da Liga Britânica de Basquete.

Tangenciando a área estão ainda o velódromo **Lee Valley Velo Park** e a antiga vila olímpica que, readequada depois do evento, virou um conjunto de 11 blocos, cada um contendo entre cinco e sete prédios, num total de 67 edifícios com no mínimo 8 e no máximo 12 andares.

Não satisfeitos, os organizadores queriam algo que realmente marcasse o Olympic Park. Entra em cena Sir Anish Kapoor, um artista plástico de ori-

gem indiana, o engenheiro Cecil Balmond e o milionário Lakshmi Mittal, CEO da *Arcelor Mittal,* a maior companhia de aço do mundo. Juntos, eles levantaram a **Arcelormittal Orbit**, aquela torre de aço vermelho retorcido, considerada a maior escultura da Inglaterra. Dos quase 115 metros de altura, é possível olhar de cima o estádio olímpico e, por tabela, o *skyline* cidade.

Pra ter acesso a isso tudo, basta descer em **Stratford** e seguir as placas indicando **Queen Elizabeth Olympic Park** ao longo da estação. Você vai ter acesso ao **Westfield Stratford City**, um dos maiores shopping centers da Europa, inaugurado cerca de um ano antes dos jogos. São 334 lojas, o

que gerou em torno de 10 mil empregos permanentes e outros dois mil temporários. Ah, e dentro da estação doméstica (digo isso porque você vai ver também a *Stratford International*), rola ainda um simpático mercadinho de frutas, flores e quinquilharias em geral. Coisa de *londoner* de verdade; turista ali é raridade.

De *Stratford* parte também o *DLR* (Docklands Light Railway), que é um sistema de "metrô ligeiro", com trens automáticos que ligam a área de Docklands à região central de Londres. Se sobrar tempo, pule em um, tente sentar na primeira fila para aproveitar a falta de maquinista, desça em **Cutty Sark** para curtir o resto do dia em Greenwich e conhecer o famoso Meridiano que fica no **Royal Observatory**. E, para tirar onda e fotos bacanas volte pra região central navegando pelo Tâmisa a bordo do *Riverbus*. Dá para descer na *London Bridge*, na *London Eye* ou no *Embankment*, bem em frente ao nosso querido *tube*.

Soundtrack
We are the champions – Queen

Serviço
Queen Elizabeth Olympic Park
London E20 2ST
Tel: 080 0072 2110

Westfield Stratford City
2 Stratford Place, Montifichet Road,
Olympic Park, London E20 1EJ
Tel: 020 8221 7300

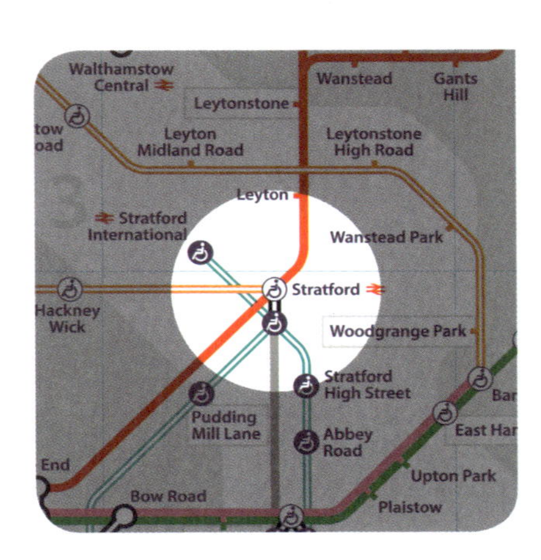

DESÇA AQUI PARA:
DENMARK STREET,
SOHO e
BRITISH MUSEUM

TOTTENHAM COURT ROAD

(Central line) (Northern line)

OS MÚSICOS VÃO ENTENDER DE CARA E ADORAR O PASSEIO: a **Denmark Street** é a "Teodoro Sampaio" londrina. Pra quem é de fora de São Paulo, explico: a Teodoro tem a maior concentração de lojas de instrumentos por metro quadrado do país, é uma atrás da outra numa área de três ou quatro quadras. A *Denmark* é uma versão *pocket*, mas não menos interessante.

A *exit 3* da estação, redecorada em 1984 com os "mosaicos frenéticos" assinados pelo artista Eduardo Paolozzi, fica bem em frente ao *Dominion Theatre*, que durante anos exibiu o musical *We will rock you*, inspirado em canções do Queen. Teatro que, aliás, abriu as portas do rock para os ingleses com a apresentação de *Bill Haley & His Comets* no dia 2 de junho de 1957. Dali pra comprar uma réplica da guitarra do Bryan May na *Denmark* são dois minutinhos de caminhada.

Siga por baixo do vão que fica atrás da saída do metrô e procure as placas que indicam *Charing Cross*

Road. O *The Royal Pub* vai passar à direita e, logo depois à esquerda, está a *Denmark Street*. Mas tente conter a empolgação inicial: os instrumentos na Inglaterra não são baratos. Claro, à primeira vista fazendo a conversão podem até ficar um pouco mais em conta, mas lembre que não dá pra parcelar. De qualquer maneira, vale uma passada nas lojas, principalmente a *Regent Sounds*. O nome é uma homenagem ao lendário estúdio que funcionou ali até 1978. Ninguém menos que os Rolling Stones gravaram seu primeiro disco lá, em 1964. *The Who, The Kinks* e *The Yardbirds* também registraram sucessos ali. O *Regent Sounds Studios* foi usado ainda pelo *Black Sabbath* nas gravações do disco *Paranoid*. Hoje em dia, a loja é especializada em Fender e Gretsch. Os vendedores manjam de verdade, pode perguntar à vontade.

Fora isso, Jimi Hendrix foi outro que solou muito nos porões da rua, o que causava algumas reclamações da rapaziada do bairro: uma vez, os funcionários da loja vizinha bateram à porta do estúdio, pedindo que Hendrix tocasse mais baixo porque eles não conseguiam se escutar no trabalho. Elton John escreveu *Your Song* por lá. Os Sex Pistols moraram no número 6, onde gravaram as primeiras "demos" da banda. Enfim, história é o que não falta. Faça como George Harrison, que deu uma passadinha a caminho de *Abbey Road* pra comprar um violão de cordas de nylon e gravar *Till There Was You* no disco *With The Beatles*.

Pra curtir um som ao vivo, na rua ficam duas *gig venues* interessantes: o **12 Bar Club** pra quem gosta de *punk rock* e o **Alleycat Bar Club**, esquema porão total, bem embaixo da *Regent Sounds*.

Voltando à *Charing Cross Road* e seguindo no sentido *Leicester Square*, você vai trombar com o teatro **Phoenix** e a *flagship store* da **Foyles** no meio do caminho. É a maior unidade das oito espalhadas pela cidade, a tal da loja-conceito mesmo. A livraria, fundada em 1903, já figurou no *Guiness* como o *bookshop* com mais títulos disponíveis no mundo. Vale uma entradinha rápida pra dar aquela espiada. Na rua ao lado, número 17 da *Manette Street*, fica o **The Crobar**. O inferninho se apresenta como "o mais amado bar de rock n' roll de Londres (e provavelmente do mundo)". Tem que pagar pra ver.

Um pouco mais à frente, onde a rua vai cruzar com a Shaftesbury, no ponto em que fica o imponente *Palace Theatre*, é só entrar à direita na *Old Compton* ou na *Greek Street* e ser imediatamente tragado para as vísceras do **Soho**, uma das áreas mais excitantes da cidade. Literalmente: foi o "coração sexual" da capital britânica por mais de 200 anos, com bordéis e sex shops em profu-

são. De 2000 em diante, virou reduto de baladas alternativas, clubes de jazz e gastronomia em geral, atraindo moradores e turistas de todos os cantos.

Na *Soho Square*, praça situada bem no miolo do pedaço, ficam os escritórios da *Fox Films* e da *Dolby*, aquela empresa especializada em áudio. Contornando a praça, você vai topar com a *Frith Street*, onde fica o lendário **Ronnie Scott's Jazz Club**. A casa, aberta em 1959 pelo saxofonista Ronnie Scott, é considerada a "Meca do Jazz" pelos fãs do estilo em Londres. Por lá, já passaram nomes do quilate de Chet Baker, Dianne Reeves, Jamie Cullum, Ella Fitzgerald, Wynton Marsalis, Nina Simone e Chick Corea, pra citar alguns. Convém garantir a reserva via site, pois o lugar vive lotado. Bem em frente fica o **Bar Italia**, onde músicos do naipe de Eric Clapton gostavam de tomar a saideira.

O teatro *Prince Edward*, que fica pela região, tem sempre um musical interessante em cartaz. E, pra pegar o *tube* de volta, basta fazer o caminho

inverso. Se esse for o caso, siga na *Tottenham Court Road* sentido *Bloomsbury*, entre à direita na *Great Russel Street* que logo o **British Museum** vai aparecer à esquerda. O museu, mal comparando, é uma versão do Louvre: se você quiser realmente conhecê-lo direito, vai precisar de algumas tardes ali; um dia só não dá. São cerca de oito milhões de objetos espalhados por um espaço de quatro andares e quase 100 galerias onde caberiam uns nove campos de futebol. A entrada é gratuita e, a título de curiosidade, foi o primeiro "museu nacional" aberto ao público desde a inauguração em 1753.

Depois que a fome de diversão e arte for saciada, a sugestão é o famoso *hot dog* na baguete à venda no trailer que fica no pátio do prédio construído em 1852.

Soundtrack
Your song – Elton John

Serviço

Ronnie Scott's Jazz Club
47 Frith Street
Tel: 020 7439 0747

Foyles
113-119 Charing Cross Road
Tel: 020 7437 5660

Regent Sounds
4 Denmark Street, WC2H 8LP
Tel: 020 7379 6111

The British Museum
Great Russell St.
Tel: 020 7323 8299

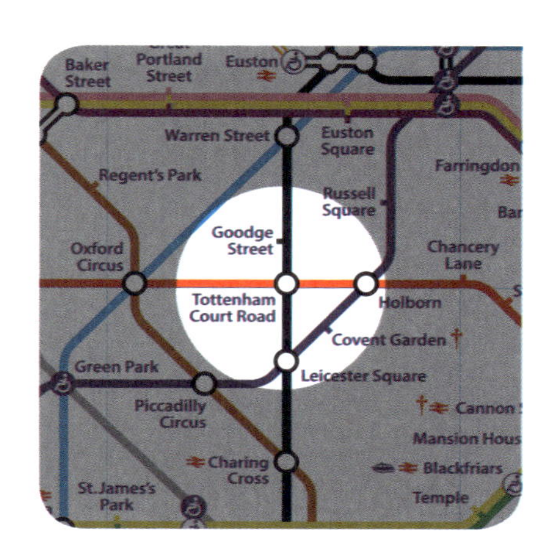

TOWER HILL

DESÇA AQUI PARA:
TOWER OF LONDON, LONDON BRIDGE e JACK – THE RIPPER TOURS

(Circle line) (District line)

A ESTAÇÃO FOI CONSTRUÍDA NO MESMO LUGAR DA ANTIGA *Tower of London tube station*, que fechou em 1884. Em 1946, virou *Mark Lane*. O nome atual, *Tower Hill*, só apareceu em 1967.

Saindo do metrô, você vai descer uma escadinha à esquerda e trombar com uma estátua bem na frente do muro: é do imperador romano *Trajan*, ou *Imperator Caesar Nerva Trajanus Augustus*. Logo atrás, fica o fragmento que restou do **London Wall**, primeiro muro de proteção construído entre 190 e 225, para defender *Londinium*, cidade fundada pelos romanos em provavelmente 50 d.C. no território atualmente ocupado por Londres. Foi a capital da chamada "Britânia romana" e serviu como um dos principais centros comerciais imperiais até o seu abandono, no século 5.

Passando o muro, outra escadinha e um túnel. Atravessando, você escolhe: **Tower of London** à direita, **Tower Bridge** à esquerda.

Como dizem que antiguidade é posto, eu sugiro começar pela primeira, erguida em 1078. Isso mesmo, o castelo tem quase mil anos. E já teve mil e uma utilidades: foi residência até meados do século 17, sede da Casa da Moeda e abrigou até a “Mostra dos Animais do Reino”. Também serviu como local de execução e tortura. Inclusive a frase “sent to the Tower” (mandado para a Torre) foi cunhada nesses tempos. Hoje em dia, a Torre de Londres guarda as famosas Joias da Coroa Britânica em uma câmara subterrânea, aberta à visitação. O prédio mais antigo do complexo é o

central, chamado de *White Tower*, construído por William, o Conquistador. O pátio interior data de 1190, além da expansão do cais, entre 1377 e 1399.

Falando no século 14, até 1303 as joias da Rainha ficavam guardadas na Abadia de Westminster, até que foram roubadas. Desde que parte foi recuperada, a custódia coube à Torre sob os cuidados da guarda. Assim a visitação pública mediante pagamento foi instituída, logo após a coroação de Charles II. No reinado de Jorge III, entre 1760 e 1820, foi criada a *Jewel House*. Entenda por “joias” todas as vestimentas e símbolos usados pelos soberanos britânicos durante a Coroação e nas demais cerimônias de Estado: são cetros, coroas, orbes, espadas e anéis. Só coroas são seis; a mais famosa, e uma das mais antigas, é a de Santo Eduardo, que de tão pesada só é utilizada na Coroação.

Pegando o caminho de volta e atravessando a passarela, o rumo é a *Tower Bridge*. Perto da outra torre, a da ponte é até novinha: foi inaugurada em 1894. Mas é um dos pontos turísticos mais visitados da cidade, cartão-postal instantâneo de Londres. Se eu der muitos detalhes aqui, a visita perde um pouco do charme. Basta dizer que a ponte levadiça, numa tacada só, solucionou dois problemas: o dos negociantes que precisavam atravessar o rio e também dos grandes navios que precisavam cruzar o Tâmisa devido ao aumento da demanda comercial na época. Se você resolver visitar a *Tower Bridge Exhibition*, que eu recomendo, vai ver um vídeo bem divertido que conta a história da construção assim que sair do elevador. Além de atravessar de uma torre à outra admirando a vista panorâmica da cidade e visitar também a antiga sala de máquinas.

Em *Tower Hill* fica também o ponto de encontro para um dos passeios mais macabros e fascinantes de Londres: **The Jack the Ripper Tour**. Basta encontrar o guia às 19h30 na saída da estação. Acredite, não tem como errar; não dá pra não reparar em dois ou três sujeitos fantasiados segurando uma placa. São concorrentes, basta optar pelo que convencê-lo mais. Agora, vamos por partes: o passeio é longo, atravessa lugares sombrios e a noite pode estar fria e/ou chuvosa. Muita gente desiste das 9 libras pagas no início. Mas fique tranquilo, você não vai precisar fazer o caminho de volta pelos becos sombrios onde o estripador atacava as vítimas, pois o *tour* acaba em frente ao metrô. Bem perto de onde o último e mais brutal assassinato, o de Mary Jane Kelly, foi cometido.

Soundtrack
Mercy Street – Peter Gabriel

Serviço
Tower of London
London EC3N 4AB
Tel: 844 482 7777

Tower Bridge
Tower Bridge Road, SE1 2UP
Tel: 020 7403 3761

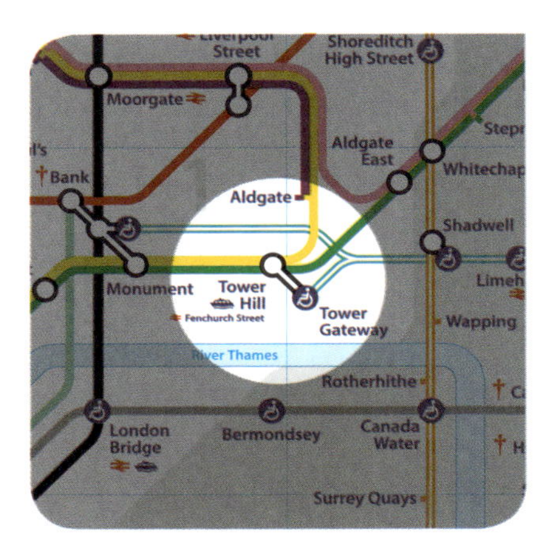

WATERLOO

DESÇA AQUI PARA:
LONDON EYE e SEA LIFE LONDON AQUARIUM

(Bakerloo line) (Jubilee line)
(Northern line) (Waterloo & City line)

WATERLOO É NOME DE BATALHA, MÚSICA DO ABBA E, SIM, estação de metrô. Se você quiser dar uma voltinha naquela que já foi a maior roda-gigante do mundo e, de quebra, ver cerca de 400 espécies de peixes num aquário às margens do Tâmisa, essa é a parada certa. Durante as três horas de pico na parte da manhã, 57 mil pessoas passam por ali, fazendo da parada a mais movimentada do *tube* londrino. Ao todo, são 82 milhões de passageiros por ano. Waterloo também é a recordista de escadas rolantes: são 23 ao todo.

Depois de uns 5 minutos de caminhada ao sair da estação, a gigantesca estrutura branca de **135 metros** de altura e 120 de diâmetro da *Millennium Wheel* (Roda do Milênio) começa a se descortinar. A roda, inaugurada pelo então primeiro-ministro Tony Blair no dia 31 de dezembro 1999, foi concebida para marcar a virada do milênio e virou também cartão-postal instantâneo. O projeto é ousado e polêmico, encravado ali em meio a tantas construções centenárias. Muita gente acha que a atração não combina com o entorno, mas a **London Eye** segue girando e recebendo cerca de **15 mil** turistas por dia.

E a roda só pode girar graças a um pool envolvendo seis países da Europa: o aço foi fornecido pelo Reino Unido mesmo, mas foi forjado na Holanda. Os cabos vieram da Itália. Os rolamentos, fabricados na Alemanha. O

eixo tem o carimbo da República Tcheca e as cabines são *made in France*. O transporte das partes foi feito em etapas, todo através do Tâmisa.

Assim como a Torre Eiffel, em Paris, a princípio a estrutura era provisória e seria desmontada depois de certo tempo. Mas a *British Airways*, então mantenedora da roda, conseguiu uma licença permanente em 2002. São **32 cabines** ovais e refrigeradas, que lembram as do bondinho do Pão de Açúcar. Cada uma consegue levar 25 passageiros, que podem circular livremente durante o passeio procurando o melhor ângulo pra clicar a paisagem. E o mais bacana, além da vista privilegiada, é que as cabines se movimentam de acordo com a rotação, sempre deixando o visitante numa posição ereta. Dá até pra alugar uma *Private Capsule* e, se for o caso, customizar o espaço.

A estrutura se move numa velocidade de 26 cm por segundo e a volta completa dura **30 minutos**. Logo, se você fica desconfortável em locais muito altos, é bom pensar bem antes de embarcar. Pra quem tem medo de altura e enjoa fácil, o agradável passeio vai parecer interminável. Em frente à roda fica o *gift shop*, num espaço que também abriga a bilheteria, banheiros e dois cafés; lugar ideal pra enganar a fome antes de voltar ao metrô ou passar no aquário ao lado.

O **Sea Life London Aquarium** fica colado à roda, num prédio de 1922 onde ficava o *London County Hall*, que deixou o local em 1986. Até que, em março de 1997, o maior aquário da cidade foi inaugurado no espaço: o **London Aquarium**. Já em 2009 e sob nova direção, ganhou a chancela de *Sea Life Centres*, uma gigantesca cadeia de atrações aquáticas com mais de 50 unidades espalhadas pelo mundo. Só na Inglaterra, são 12 locações.

O centro também está envolvido em projetos de preservação e estudo do meio ambiente. Nos tanques que comportam 2 milhões de litros de água ficam expostas cerca de 500 espécies: tubarão, arraia, cavalo-marinho, tartaruga, pinguim, lagosta e até piranha. Tudo isso espalhado em 14 alas diferentes. O *Behind the Scenes Tour*, pago à parte, é bem interessante.

Voltando à Waterloo, você pode pegar a Bakerloo line no sentido Lambeth North. A estação fica quase em frente ao IWM, o **Imperial War Museum**. Fundado em 1917, ainda durante a primeira guerra, o museu guarda uma inestimável memorabília militar: são veículos, armas de todos os tipos, aviões de combate, livros, fotos, documentos e tudo o mais.

Soundtrack
Waterloo Sunset – The Kinks

Serviço
London Eye
Riverside Bldg, County Hall,
Westminster Bridge Rd, London SE1 7PB
Tel: 871 781 3000

SEA LIFE London Aquarium
County Hall, Westminster Bridge Rd,
London SE1 7PB
Tel: 871 663 1678

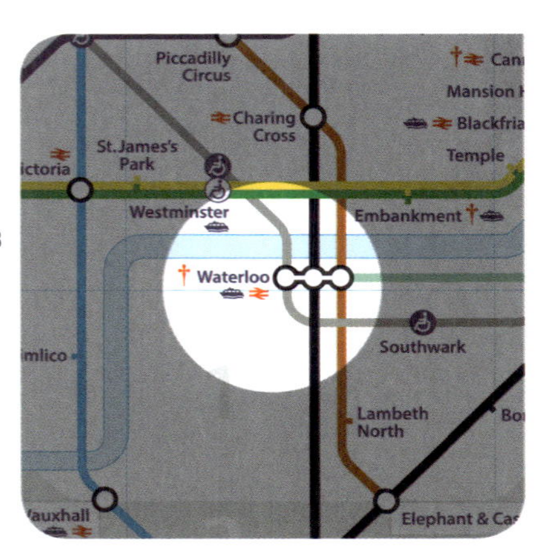

DESÇA AQUI PARA:
WEMBLEY (ESTÁDIO) *e*
LONDON DESIGNER OUTLET (SHOPPING)

WEMBLEY PARK

(Metropolitan line) **(Jubilee line)**

DE CARA, UM AVISO: CUIDADO PRA NÃO SALTAR NA OUTRA *Wembley*, a *Central*. No mais, não tem mistério, é descer na estação fundada em 1894 e dar de cara com a rampa de acesso ao estádio inaugurado em 2007. Na verdade, reinaugurado: a antiga arena, que funcionou entre 1923 e 2003 e foi palco da final da Copa do Mundo de 1966, foi demolida sem dó nem piedade. Nem as famosas torres do então chamado *British Empire Exhibition Stadium* resistira; foram abaixo para dar lugar ao hoje badalado arco que sustenta a cobertura do estádio. Mas esse sustenta de verdade, resiste sem sustos aos ventos ingleses.

Wembley, diferentemente dos outros estádios citados aqui no guia, não pertence a clube algum, é administrado pela *FA* (Football Association), uma espécie de CBF inglesa. A casa do *british team* recebe poucas partidas por ano, cerca de 20, entre jogos da seleção e eventuais decisões de copas como a *UCL* (UEFA Champions League). De resto, é o famoso multiuso, recebendo shows graças ao lote de cadeiras retráteis de alumínio e outros esportes: rúgbi, atletismo e até futebol americano uma vez por ano.

Uma informação que o guia do *stadium tour* adora dar: o estádio possui 2.618 banheiros, mais do que em qualquer outro estádio do mundo. Mais até que o Palácio de Buckingham.

Alguns tesouros do estádio podem ser vistos através do infalível *stadium tour*: a bandeira original da Olimpíada de 1948, uma réplica da Jules Rimet (a original foi derretida no Brasil, em 1983), o travessão da final da Copa de 1966 contra a Alemanha e mais um monte de preciosidades. Dá até pra visitar o *Royal Box* (camarote Real) e tirar uma foto com a taça da *FA Cup*. De mentirinha, mas vale. Fora isso, o básico: vestiários, sala de imprensa, beira do gramado e tudo mais. Capriche nas fotos, a arena reerguida em 2007 é linda e a vista do campo é de encher os olhos. E, se você simpatiza com o *English Team*, a loja vai deixá-lo tonto: são camisas e agasalhos de todas as épocas, bolas comemorativas, bonés, canecas, bolsas e incontáveis acessórios.

Mas, pelo menos no caso de *Wembley*, a gente precisa tomar cuidado pra usar a palavra arena. Digo isso porque **Wembley Arena** é o atual nome da *Empire Pool*, um ginásio construído próximo ao estádio, em 1934, para sediar as competições aquáticas do *British Empire Games*. A piscina que ficava ali foi usada pela última vez na Olimpíada de 1948, que sediou quatro modalidades. Depois disso, virou multiuso. Acabou entrando no pacote de

reformas do complexo e reabriu em 2006 com um show da banda de música eletrônica Depeche Mode, mantendo a arquitetura original.

E, com a inauguração do **London Designer Outlet**, dá pra dizer que *Wembley Park* entrou mesmo no roteiro da cidade. Afinal, a maioria dos turistas não pode ver shopping pela frente, ainda mais se for *outlet* e com 70 lojas do naipe de *Gap, Guess, Adidas, Nike, Bjorn Borg, H&M, New Balance, M&S* e *Rockport*. Fora outras 15 opções gastronômicas: *Pret, Frankie & Benny's, Nando's, Wagamama* e até o Cabana, um restaurante especializado em "Brasilian Barbecue" ou quase isso. Salas de cinema são 9 da rede *Cineworld*. Uma das rampas do estádio sai bem na frente, ali perto do **Hilton London Wem-**

bley, colado ao shopping. Conheça o estádio, vá às compras e prove o *Flavoured Garlic Pizza Breads* do **Frankie & Benny's**.

A FA ergueu o novo Wembley e o Estado revitaliza a região. A área remota e deteriorada de Londres se transforma com comércio, hotéis e residências. Perto da estação Wembley Central há lojas como Primark, T.K.Maxx, Boots e Superdrug, além de restaurantes e os onipresentes McDonald's e KFC. É possível arrebatar camisas de futebol na Sports Direct (escondidinha, atrás da T.K.Maxx) e achar pechinchas a £ 1 na inacreditável Poundland. Também possível chegar lá de trem. A estação Wembley Stadium, conectada ao metrô, deixa o torcedor a metros do estádio, que ganhou como novo vizinho um outlet.

Mauro Cezar Pereira - Jornalista Esportivo - ESPN

Soundtrack
One Vision – Queen
(do clássico show de 1986
o antigo estádio)

Serviço
Wembley Stadium
HA9 0WS
Tel: 084 4980 8001

London Designer Outlet
Unit 26a, Customer Services
Wembley Park Boulevard
Tel: 020 8912 5210

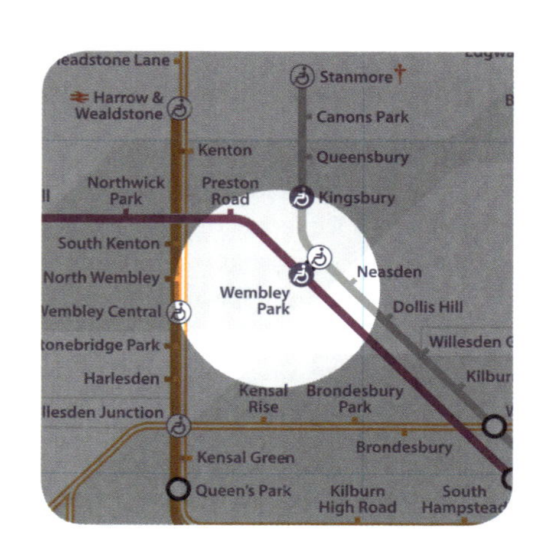

WESTMINSTER

(Jubilee line) (Circle line)
(District line)

DESÇA AQUI PARA:
BIG BEN, HOUSE OF PARLIAMENT, WESTMINSTER ABBEY e CHURCHILL WAR ROOM

A PRIMEIRA VEZ A GENTE NUNCA ESQUECE: SUBIR A ESCADA do metrô e dar de cara com o **Big Ben** é impactante. Ver o relógio mais famoso do mundo ao vivo, em 3D, e poder ouvir as badaladas de perto quase já vale a viagem. Quase. E aí vai uma curiosidade básica: *Big Ben*, na verdade, é o nome do sino. E o sino, por sua vez, herdou o apelido de Sir Benjamin Hall, ministro de Obras Públicas da Inglaterra em 1859, que era um sujeito corpulento. Até 2012, a torre que pertence ao Palácio de Westminster era chamada simplesmente de *Tower Clock*. Mas, em comemoração aos 60 anos de reinado da rainha Elizabeth II, o nome mudou para **Elizabeth Tower**.

Se você está pensando em conhecer o relógio por dentro e disposto a encarar os 334 degraus da escada em espiral que levam ao topo, esqueça. Só cidadãos ingleses podem apreciar a vista de Londres a 62 metros do chão. Contente-se apenas em ouvir o *Great Bell* e siga para a *Houses of Parliament tour,* no **Palace of Westminster**. Essa sim, qualquer turista pode fazer aos sábados ou em determinados dias da semana, basta reservar pelo site.

No **Palácio de Westminster** (ou Casa do Parlamento) ficam as duas Câmaras do Parlamento do Reino Unido: *House of Lords* e *House of Commons*. A "Câmara dos Lordes" é um corpo não eleito, formado por dois arcebispos e bispos da Igreja Anglicana, os Lordes Espirituais, além de membros da nobreza britânica, os Lordes Temporais. Já a "Câmara dos Comuns" equivale, por exemplo, à Câmara dos Deputados no Brasil. O líder do partido

com maioria na Câmara é o primeiro-ministro. Se você viu o filme *The Iron Lady* (A Dama de Ferro, 2011), em que Meryl Streep interpreta Margaret Thatcher, vai entender melhor. O *tour* passa pelos dois emblemáticos lugares, mas nem tente se sentar em algum dos convidativos bancos ou tirar foto dos inconfundíveis microfones pendurados usados pelos políticos, os guias e os seguranças ficam de olho o tempo todo. Foto no Parlamento, aliás, nem pensar. Só é permitido clicar onde o passeio começa e termina, no **Westminster Hall**.

É o prédio mais antigo do complexo, construído em 1097 durante o reinado de William II e inaugurado dois anos depois. Ao longo do tempo, o espaço teve diversas utilizações: foi tribunal, recebeu coroações e até funerais; foi ali que o povo britânico de despediu de Sir Winston Churchill, em 1965. Em 2002, foi a vez de a rainha mãe dizer adeus aos ingleses. A filha,

Elizabeth II, comemorou o jubileu de diamante da coroa, em 2012. O salão também recebeu discursos especiais: o então presidente francês Charles de Gaulle em 1960, Nelson Mandela em 1996, Papa Bento XVI em 2010 e Barack Obama em 2011, pra citar alguns.

Saindo do Parlamento, uma boa pedida é atravessar a praça e passar na **Westminster Abbey**. A abadia, inaugurada em 1050, é considerada a igreja mais importante de Londres. É mundialmente famosa por sediar a coroação do Monarca do Reino Unido desde Haroldo II, em 1066. A igreja atual, construída por Henry II, em 1245, é considerada um dos prédios góticos mais importantes da Inglaterra. Ao todo, 17 monarcas estão sepultados ali. E outros, como Príncipe William e Catherine Middleton, escolheram a abadia pra celebrar a união. Em 29 de abril de 2011, Duque e Duquesa de Cambridge disseram sim aos olhos da mídia.

Em frente ao Palácio, fica ainda o *Imperial War Museum*. E o *highlight* fica nos fundos: **Cabinet War Rooms**. Ter acesso ao bunker de Churchill durante a Segunda Guerra é fantástico, atração imperdível; as principais e secretas decisões do Reino Unido eram tomadas ali. Aproveitaram o espaço e fizeram também o *Churchill Museum*, parada interessante e interativa em meio aos túneis do esconderijo militar. Muita coisa foi mantida exatamente do jeito que era: a sala de reuniões, os mapas, o quarto do então primeiro-ministro e outras autoridades. Veja o vídeo no site do museu para sentir o clima.

Soundtrack
My generation – The Who

Serviço
Palace of Westminster
Westminster, London
Tel: 20 7219 3000

Westminster Abbey
20 Deans Yd, London SW1P 3PA

Cabinet War Rooms
Clive Steps, King Charles St, London
SW1A 2AQ
Tel: 20 7930 6961

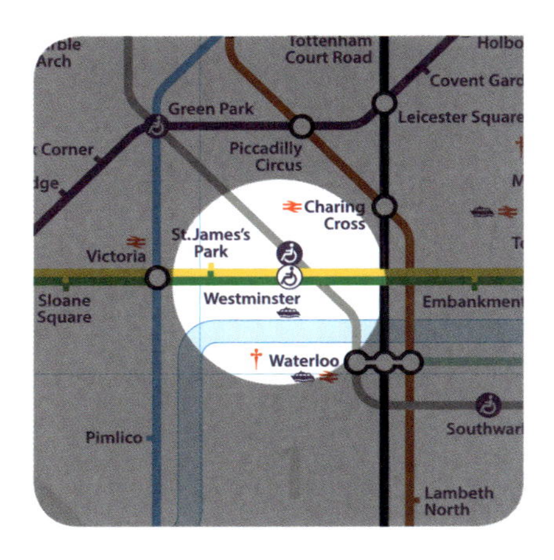

Way out →

BIBLIOGRAFIA

LIVROS

Londres – seu guia passo a passo (Publifolha)
Walking London – the best of the city (National Geographic)
London – a guide with 344 colour illustrations (TB)
Guide to the Beatles' London (Richard Porter)
Londres para pão-duro (Wilson Junior)
The Tube (Oliver Green)
Underground (Official Handbook)
London – tube and walk (Quickmap)
Discovering London Railway Stations (Oliver Green)
What's in a name? (Cyril M. Harris)
The London Underground (Andrew Emmerson)
Tube Trivia (Andrew Emmerson)
The Ladybird Book Of London
Time Out Shortlist – London 2014
London (Taschen)
Must See – London's Story

SITES

www.visitbritain.com
www.tfl.gov.uk
londontown.com
mapadelondres.org
praveremlondres.com.br
londresparaprincipiantes.com
Google
Wikipédia

REVISTAS
Time Out London
The Big Issue

ESPECIAIS DE TV
The history of London Underground (History Channel)
The Tube (itv)
Ghosts on the Underground (Polar Media)

FILMES
Notting Hill
Iron Lady
The Queen
The King's Speech
Jack The Ripper

AGRADECIMENTOS

NO BRASIL...

Como sempre, aos meus pais. E também a Pedro Almeida, meu infalível editor que enxergou livro num diário de viagem. Depois, ao pessoal do *Visit Britain*, principalmente Mitsi Goulias, que me deu total apoio logístico e livre acesso às principais atrações. Marcelo Duarte, que indicou o *Visit Britain*. Marco Mojica, da *British Airways*, pelo espontâneo tratamento VIP. Mauro Cézar Pereira, pelo toque de classe e pelas informações nos capítulos dos estádios. João Palomino, pelo mês de licença concedido a toda a galera da ESPN. Eduardo Tironi, pelo *test drive* informal quando o guia ainda era um embrionário listão de estações. Binho Toffoli, por tolerar meus momentos "as good as it gets" no Santo Grão enquanto eu revisava o livro na mesa 132. E à galera da Regus, Denis, Cynthia e Fabiana. À Tia Irene, da IM Turismo, minha eterna guia e anjo da guarda nas viagens internacionais. Aos Soundtrackers, por terem seguido o baile na minha ausência. À Karen Zanardi, pelas risadas via *skype* na conexão Londres-Ubatuba nas madrugadas. Ao iPhone, por ser: câmera, walkman, bloco de notas, computador e até telefone.

NA INGLATERRA...

Rose Hughes e Emma Mead, do *Visit Britain*. João Castelo Branco, pelo almoço em *Angel* que eu preciso retribuir. Natasha e João Brotto, do site *Pra ver em Londres*, pela recepção calorosa na cidade. Joanna Hoad, guia local que virou do avesso Wimbledon, Olympic Park e Westminster. Bob Barber, motorista e guia do *Rock Tour*, pelas dicas musicais quentíssimas. Raul Perez, Juan, Richard, Presley, Mohamed, Rita, Kalapna, Soraya e toda a galera atenciosa e prestativa do hotel *The Caesar*. E aos simpaticíssimos indianos da Queensway, que vendem de tudo na base do "we make good deal".

And special thanks to...
John, Paul, George e Ringo.

Diretor editorial **PEDRO ALMEIDA**
Revisão **MÔNICA VIEIRA E FERNANDA GUERRIERO ANTUNES**
Capa e projeto gráfico **OSMANE GARCIA FILHO**
Foto de capa **ADAM GAULT | GETTYIMAGES**
Fotos **RODRIGO RODRIGUES**

Dados Internacionais de Catalogação na Publicação (CIP)
(Câmara Brasileira do Livro, SP, Brasil)

Rodrigues, Rodrigo
London London: O único guia para conhecer Londres utilizando o metrô / Rodrigo Rodrigues ; fotografias do autor. — São Paulo : Faro Editorial, 2014.

ISBN 978-85-62409-20-2

1. Londres (Inglaterra) - Descrição e viagens – Guias 2. Metrô I. Título.

14-05744 CDD-914.212

Índice para catálogo sistemático:
1. Londres : Inglaterra : Guias de viagem 914.212
2. Guias de viagem : Londres : Inglaterra 914.212

2ª edição brasileira: 2015
Direitos desta versão em língua portuguesa, para o Brasil, adquiridos por FARO EDITORIAL

Alameda Madeira, 162 – sala 1702 – Alphaville – Barueri – SP – Brasil
CEP: 06454-010 – Tel.: +55 11 4134-4444
www.faroeditorial.com.br